Die KOMPASS-Wanderkarte 1:25 000, nen Überblick über ein weites Wande Quadratkilometern im Zuge der Nördlic nur das Land der Gletscher, Firne und findet man überall noch urwüchsige N mige Almwiesen muntere Bäche talwärts plätschern.

Dieses weite Wandergebiet – das Seefelder Plateau – liegt wie eine große Bühne rund 600 m hoch über dem südlich vorbeiziehenden Inntal. Das mächtige Bühnenrund wird von riesigen Kulissen umsäumt. Da stehen im Osten die westlichen, zerrissenen Gipfel des Karwendelgebirges, die Seefelder Gruppe. Nicht zu Unrecht nennt man diese Gruppe auch „Seefelder Dolomiten". Den Westen der Hochfläche nimmt die breit-behäbige Hohe Munde, 2662 m, ein – ein Eckpfeiler der langgestreckten Mieminger Kette. Als Hintergrund dieser Riesenbühne schließen die kühnen Gipfel und abfallenden Wände des Wettersteingebirges, dessen Kammverlauf die Grenze zwischen Österreich und Deutschland bildet, die Szenerie ab. Die höchste Erhebung in diesem Grenzkamm ist die Zugspitze mit 2962 m. Von dieser herrlichen Kulisse eingerahmt breitet sich die leicht gewellte Hochfläche von Seefeld mit dem langgestreckten Tal der Leutascher Ache aus. Die Leutasch ist die eigentliche Fortsetzung des Gaistales, jenes Taleinschnittes, der das Wettersteingebirge von der Mieminger Kette trennt. Kommt man zum Südrand des Seefelder Plateaus, so steht man vor einem Steilabfall in das Inntal, und man hat hier einen Tief- und Weitblick von gewaltigen Ausmaßen.

Der Name Wettersteingebirge weist schon in seiner ersten Worthälfte auf die hier oft auftretenden Wetterstürze hin. Die Mieminger Kette wurde nach der Ortschaft Mieming (am Mieminger Plateau) benannt. Der Name des Karwendelgebirges wurde früher von den für dieses Gebiet charakteristischen Formen, den Karen und Wänden, abgeleitet. „Karwendel" ist jedoch nach den Forschungen des Innsbrucker Professors Dr. Walde auf die alten Veneter zurückzuführen, die einst in grauer Vorzeit mit den Kelten weite Alpengebiete bewohnten.

Die touristische Erschließung der hier gezeigten Gebirgszüge begann in der Mitte des 19. Jahrhunderts. Die erste größere Schutzhütte im Karwendel erbaute der Zirler Postmeister Niederkircher im Jahre 1888 auf dem Wiesensattel (Zirler Mähder) südlich der Solsteingruppe. Diese „Solsteinhütte" war von Anfang an bewirtschaftet und auch eine Zeitlang an die Alpenvereinssektion Innsbruck verpachtet. Diese Sektion führte auch ausgedehnte Wegbauten aus. Die Hütte wurde später von einem privaten Jagdherrn übernommen und erhielt den Namen „Martinsberg". Im Jahre 1924 wurde daraus die „Neue Magdeburger Hütte". Das Jahr 1898 brachte wieder einen Hüttenbau. Diesmal war es die Alpenvereinssektion Nördlingen, die 20 Minuten unterhalb der Reither Spitze, der herrlichen Aussichtswarte in den „Seefelder Dolomiten", die Nördlinger Hütte, 2239 m, errichtete. Sie wurde in der Zwischenzeit öfters erweitert. Im Jahre 1914 konnte dann – kurz vor Ausbruch des Ersten Weltkrieges – am Erlsattel das Solsteinhaus, 1806 m, eingeweiht werden. Es gehört der Alpenvereinssektion Innsbruck und ist von Hochzirl aus leicht erreichbar.

Geologie

Die Geologie dieser drei Gebirgszüge – Wettersteingebirge, Mieminger Kette und Karwendelgebirge – ist mannigfaltig. Für den Wanderer und Bergsteiger genügt es zu wissen, dass sie überwiegend aus dem gleichen Gestein, nämlich dem Wettersteinkalk und dem dunkleren Hauptdolomit bestehen. Dieses Gestein bildet schroffe Wände und scharfe Grate, die zu steilen Gipfeln führen. Es ist brüchig und bedarf großer Vorsicht, da Griffe leicht ausbrechen und Steinschlag oft vorkommt.

Flora und Fauna

Dem geologischen Aufbau und den unterschiedlichen Höhenlagen und klimatischen Bedingungen entsprechend ist die Flora überaus vielfältig. Den Bergsommer hindurch findet man

3

unzählige Enzianarten, in den Wäldern den Seidelbast, in den Latschen die Alpen-Anemone, darüber Alpenrose und Steinröserl, Schneeheide und Brunelle, an den Südwänden die Bergaurikel (Platenigl genannt), während man nach dem Edelweiß vergeblich Ausschau halten wird. Eine besondere Zierde der Landschaft sind die Lärchenbestände des langgestreckten Leutaschtales.

Vom Wildreichtum kann sich der Gast besonders bei Wildfütterungen im Winter überzeugen. In den tieferen Lagen tummeln sich Hirsch und Rehwild, in den Hochgebirgszonen kann der stille Wanderer nicht selten Gamswild in größeren Rudeln beobachten, während er von dem scheuen Murmeltier meist nur den scharfen Warnpfiff vernehmen wird. Dagegen fressen die Alpendohlen den Bergsteigern auf vielbesuchten Gipfeln fast aus der Hand. Häufig sind kleinere Greifvögel wie Habicht und Sperber zu sehen – seltener ein Adler, der „König der Lüfte". Birk- und Auerhahn werden nur jagdkundige Frühaufsteher zur Balzzeit zu Gesicht bekommen. Die klaren Gewässer sind reich an vorzüglichen Gebirgsfischen und bieten Gelegenheit zur Fischerei.

Zum Schluss sei noch besonders darauf hingewiesen, dass im gesamten Gebiet, sowohl in Tirol als auch in Bayern, das **Pflücken von Blumen und das Beunruhigen des Wildes** streng geahndet wird. Auch im eigenen Interesse scheint es ratsam, jeden Lärm zu unterlassen, denn nur dann kann man des völligen Genusses einer Wanderung oder Bergbesteigung sicher sein.

Geschichte

Mit der gutausgebauten Römerstraße – von Zirl über Seefeld nach Scharnitz – beginnt das eigentliche geschichtliche Leben dieser Gegend. Neben Scharnitz (Scarbia) und Zirl wurde auch Seefeld Straßenstation dieser Römerstraße. Im Mittelalter hieß diese Straßenverbindung Rott-Straße. Sie war die Lebensader des ganzen Gebietes und bewältigte den größten Teil des Italienverkehrs (Augsburg – Innsbruck – Venedig). Die „Rott" war eine Vereinigung bürgerlicher Fuhrleute, die das ausschließliche Recht besaßen, Waren von einer Niederlage (Rottstation) zur nächsten zu verfrachten. Rottstationen im Kartenausschnitt waren Zirl, Seefeld und Scharnitz. Mit dem Niedergang des Italienhandels über den Brenner im 30-jährigen Krieg (1618 – 1648) schwand auch der Wohlstand der Seefelder Bauern. Die landwirtschaftliche Basis – Holz- und Viehwirtschaft – allein, reichten nicht aus, um die Bevölkerung zu ernähren. Viele mussten die Heimat verlassen, um in der Fremde ihr Glück zu versuchen. Erst mit der romantischen Entdeckung der Landschaft, mit dem Aufkommen des Alpinismus und des modernen Tourismus wurden das Seefelder Plateau und das Leutaschtal zu dem, was es heute ist: Zu einem der schönsten Erholungsgebiete im nördlichen Alpenland, dessen Eigenart – von Natur, Geschichte und Volkstum geprägt – sich auch im Welttourismus behauptet. Dass hier in diesem Gebiet auch einige Disziplinen der zwei Winter-Olympiaden (1964 und 1976) und die Nordische Ski-Weltmeisterschaften (1985) ausgetragen wurden, hat Seefeld und seine Umgebung zu weltweit bekanntem Namen und Ruf verholfen.

WEITWANDERWEGE

Die OeAV-Sektion Weitwanderer gilt als Auskunftsstelle für alle europäischen Fernwander-
wege sowie für die österreichischen Weitwanderwege: Österreichischer Alpenverein, Thaliastraße 159/3/16, 1160 Wien, Telefon = Fax (0043) 01/493 84 08 oder
Mobil: 0664/2737242 • weitwanderer@sektion.alpenverein.at
www.fernwege.de • www.alpenverein.at/weitwanderer
Durch die alpinen Vereine wurden markierte Wege angelegt, die über große Strecken führen
und sowohl mit einer Nummer als auch mit einem Namen bezeichnet sind. Damit sollen Zie-
le präsentiert werden, die zuvor nur selten besucht wurden, und gleichzeitig auch die Viel-
falt der touristischen Möglichkeiten aufgezeigt werden.
Für die Begehung dieser Wege wurde eine eigene Wanderliteratur, sogenannte „Wander-
führer" aufgelegt, die dem Begeher den Streckenverlauf, Nächtigungsmöglichkeiten, Ent-
fernungs- und Höhenangaben, Wegzeiten mit Schwierigkeitsgraden sowie Öffnungszeiten
von Gasthöfen und Schutzhütten näher bringen. Außerdem wurden Kontrollstellen geschaffen, wo durch einen Stempelabdruck der Besuch dokumentiert wird und danach Wan-
derabzeichen in verschiedenen Kategorien vergeben werden, wobei die Zeit, in der die be-
treffenden Wege zurückgelegt werden, keine Rolle spielt.
In Österreich bestehen neben einer Vielzahl von regionalen Wanderwegen **zehn Weitwanderwege**, die mit den Ziffern 01 bis 10 bezeichnet sind. Eine evtl. vorgesetzte Zahl gibt die
Gebirgsgruppen (Hunderterstelle) an. In den Zentralalpen ist diese Grundnummer ungerade
(z. B. 901), in den Nördlichen und Südlichen Kalkalpen hingegen gerade (z. B. 801), ein
nachfolgender Buchstabe (z. B. 801A) macht darauf aufmerksam, dass es sich um eine
Wegvariante handelt. Mehrere nationale Weitwanderwege sind in das internationale Europäische Fernwanderwegenetz mit einbezogen.
Auf dem vorliegenden Kartenblatt scheint der Nordalpenweg 01 auf, der mit dem Europäischen Fernwanderweg E 4 (Alpin) und in Tirol mit dem Adlerweg weitgehend identisch ist.
Bitte erkundigen Sie sich vor Beginn Ihrer Wanderung, ob in den angegebenen Hütten bzw.
Orten Übernachtungsmöglichkeiten bestehen. Die Begehung dieser Weitwanderwege erfor-
dert Bergerfahrung, Kondition und eine gute Ausrüstung.

Wegverlauf der Weitwanderwege

Der Europäische Fernwanderweg E 4 (Alpin):

Der E 4 beginnt derzeit in Andalusien und verläuft über Frankreich, Schweiz, Deutschland,
Österreich, Ungarn und Bulgarien nach Griechenland, Kreta und Zypern. In Österreich führt
der Weg als alpine Variante über die Nördlichen Kalkalpen, um sich im Burgenland wieder
mit der Hauptstrecke zu vereinigen. Da sich die Bewältigung der Route E 4 (Alpin) durch die
Nördlichen Kalkalpen für bergsteigerisch nicht erfahrene Wanderer bald als zu schwierig er-
wiesen hat, wurde eine eigene Route des E 4 durch den süddeutschen und österreichischen
Voralpenraum auf dem „Voralpenweg 04" geschaffen, der durch den Bregenzer Wald, das
Oberallgäu, den Ammergau, den Schwangau, das Tegernsee- und Werdenfelserland, das
Schlierseerland, den Chiemgau, das Flachgau, das Salzkammergut, das Höllengebirge, das
Enns- und Steyrtal, die Eisenwurzen, das Ötscherland und den Wienerwald zur Ungarischen
Pforte verläuft, um hier nach Süden zum Neusiedler See und weiter nach Ungarn abzubie-
gen.

Der Nordalpenweg 01/01A Variante (201, 801, 801A):

Wie bereits unter dem E 4 angedeutet, führt dieser Weitwanderweg durch alle österreichischen Bundesländer mit Ausnahme Kärntens. Er reicht von Rust am Neusiedler See bzw.
Perchtoldsdorf bei Wien über den Schneeberg, die Rax, den Hochschwab, die Gesäuseberge, das Tote Gebirge, das Dachsteingebiet, das Tennengebirge, den Hochkönig, das
Steinerne Meer, die Loferer Steinberge, die Chiemgauer Alpen, das Kaisergebirge, das Rofangebirge, das Karwendelgebirge, die Zugspitze, die Lechtaler Alpen, das Lechquellenge-
birge und den Bregenzer Wald bis Bregenz, weist eine Länge von etwa 1000 km auf und ist
Teil des Europäischen Fernwanderweges E 4 (Alpin).
Das vorliegende Kartenblatt betritt er als Hauptweg am rechten Kartenrand vom Karwen-

delhaus kommend (I 2), wobei er durch das Karwendeltal nach Scharnitz und in der Folge durch das Satteltal Leutasch/Ahrn erreicht. Die Hauptroute wendet sich nun nach Norden bis zur Einmündung des steil aufsteigenden Bergleintales, um in Serpentinen die Meilerhütte zu erreichen. Über das Schachenhaus geht es in das sogenannte Reintal zur Reintalangerhütte (Angerhütte) und weiter zur Knorrhütte und zum Haus Sonn Alpin auf dem Zugspitzplatt. Westlich der Zugspitze verlässt der Nordalpenweg bei der Wiener-Neustädter-Hütte dieses Kartenblatt im Falzfeld A 1. Der Weg erfordert manchmal Trittsicherheit und Schwindelfreiheit und ist an exponierten Stellen mit Sicherungen (Leitern, Drahtseile, Klammern) versehen. Manchmal können auf Grund von Altschneefeldern Steigeisen erforderlich sein.

Eine Wegvariante (801 A) verläuft von Leutasch/Ahrn über Obern entlang der Leutascher Ache durch das Gaistal zur Gaistal- und Tillfussalm und weiter zur Ehrwalder Alm, wo das Kartenblatt im Falzfeld A 2 wieder verlassen wird.

Regionale Wanderwege

Adlerweg

Der Adlerweg erschließt als Landeswanderweg entlang der schönsten Gebirgsketten den Mytos Tirols. Dieser Weg führt von St. Johann in Tirol durch das Kaisergebirge, die Brandenberger Alpen, den Rofan, das Karwendelgebirge, über Innsbruck in die Tuxer Alpen, zurück über Hochzirl in das Wettersteingebirge und die Mieminger Kette und zuletzt durch die Lechtaler Alpen nach St. Anton am Arlberg.

Verlauf auf dieser Karte: Bahnhof Hochzirl, 994 m – Solsteinhaus, 1806 m – Eppzirler Alm, 1459 m – Gießenbach/Scharnitz – Satteltal – Ahrn/Leutasch, 1094 m – Gaistal – Gaistalalm, 1366 m – Tillfussalm, 1382 m – Ehrwalder Alm, 1502 m

Informationen finden Sie unter: www.adlerweg.tirol.at

Jakobswege

Diese Wege führen einerseits von Wolfsthal/Niederösterreich (nahe der slowakischen Grenze, an der Donau) nach Feldkirch bzw. andererseits von Thal bei Graz nach Slowenien in das Drautal und dieses westwärts bis Toblach in das Pustertal nach Mühlbach und über Franzensfeste und Sterzing zum Brenner bzw. nach Innsbruck, wo der Zusammenschluss an die erstgenannte Route erfolgt.

Verlauf auf dieser Karte: Inzing – Oberhofen – Rietz – Stams

ALPENGASTHÖFE UND UNTERKUNFTSHÜTTEN

Alle Angaben ohne Gewähr! Bitte erfragen Sie vor Beginn der Wanderung im Talort die Bewirtschaftungszeit und erkundigen Sie sich, ob eine Übernachtungsmöglichkeit besteht.

Die Telefonnummern der wichtigsten Alpengasthöfe und Unterkunftshütten finden Sie auf Seite 61.

Karwendelgebirge

Ahrnspitzhütte, 1955 m (H 2), Alpenverein, offene Unterstandshütte, Notlager für 4 Personen, unbewirtschaftet. Zugänge: von Mittenwald über die Riedbergscharte, 5 Std. (mittel); von Scharnitz, 2½ Std. (leicht); von Unterleutasch, 3½ Std.; von Oberleutasch, 3 Std. Gipfel: Große Ahrnspitze, 2196 m, 1 Std. (nur für Geübte).

Brunnsteinhütte, 1560 m (I 1), Alpenverein, Postleitzahl: 82481 Mittenwald, im Sommer bewirtschaftet. Zugang: von Mittenwald, 2 Std. Übergang: nach Scharnitz, 2¾ Std. Gipfel: Brunnensteinspitze, 2180 m, 2 Std. (mittel).

Eppzirler Alm, 1459 m (I 3), privat, Postleitzahl: 6108 Scharnitz, im Sommer bewirtschaftet. Zugang: von Scharnitz/Gießenbach, 1¾ Std. Übergänge: zum Solsteinhaus, 2½ Std.; zur Nördlinger Hütte, 2¼ Std. Gipfel: Erlspitze, 2405 m, 2½ Std. (mittel).

Mittenwalder Hütte, 1518 m (I 1), Alpenverein, Postleitzahl: 82481 Mittenwald, im Sommer bewirtschaftet. Zugang: von Mittenwald, ca. 1½ Std. Übergänge: zur Brunnensteinhütte, 2 Std.; zur Dammkarhütte über die Westliche Karwendelspitze, 3½ Std. (nur für Geübte). Gipfel: Westliche Karwendelspitze, 2385 m, 2½ Std. (nur für Geübte).

6

Brunnsteinhütte (1560 m)

**Eigentümer: DAV Sektion Mittenwald
Telefon Hütte: +49/8823/32 69 51
Telefon Tal: +49/8823/9 43 85
brunnstein@t-online.de
www.brunnsteinhuette.de**

Kinder herzlich Willkommen heißt es auf der Brunnsteinhütte (1560 m) die von Mai bis Oktober geöffnet ist. Gehzeit ca. 2 Stunden. Idealer Ausgangspunkt für mehrtägige Hüttenwanderungen im Karwendel, sowie für Tagestouren (z.B. Mittenwalder Klettersteig). Eine herrliche Aussicht haben Sie auf das Wettersteingebirge und Stubaier Alpen. Umweltgütesiegel des DAV, Verwendung von regionalen Produkten. In Hüttennähe größte Hängebrücke in Bayern. Übernachtungsmöglichkeit für 35 Personen.

Das Karwendelhaus liegt am Fuße der Birkkarspitze (2.749 m), der höchsten Erhebung im Karwendel, und ist vom Talort Scharnitz zu Fuß oder mit dem Bike erreichbar.

*Karwendelhaus
1.765 m*

Öffnungszeiten: Ca. Anfang Juni bis Mitte Oktober
Aufstiege: Scharnitz – Karwendelhaus, Gehzeit: 4½ Stunden
              Hinterriß – Karwendelhaus, Gehzeit: 3½ Stunden
Gipfel: Birkkarspitze (2.749 m), Gehzeit: 3 Stunden

**Hüttenehepaar: Brigitte u. Andreas Ruech
Telefon: +43 (0)52 13 56 23
e-Mail: info@karwendelhaus.com
www.karwendelhaus.com**

Nördlinger Hütte, 2239 m (H 3), Alpenverein, Postleitzahl: 6103 Reith bei Seefeld, im Sommer bewirtschaftet. Zugänge: von Reith, 3 Std.; von Seefeld, 3 Std. Übergänge: zum Solsteinhaus, 3^1/$_2$ Std.; zur Eppzirler Alm, 1^1/$_2$ Std.; zur Härmelekopfbahn-Bergstation über die Reither Spitze, 1 Std. (nur für Geübte). Gipfel: Reither Spitze, 2374 m, ^{1}/$_2$ Std. (mittel); Freiungspitzen, 2332 m und 2303 m, 1^3/$_4$ bzw. 2 Std. (nur für Geübte).

Ötzi Hütte, 1495 m (F 3), am Gschwandtkopf, privat, Postleitzahl: 6103 Reith bei Seefeld, ganzjährig bewirtschaftet. Zugänge: von Seefeld, 1^1/$_2$ Std. oder mit dem Sessellift; von Reith bei Seefeld, 1^1/$_2$ Std. oder mit dem Sessellift; von Mösern, 1 Std.

Reitherjoch Alm, 1505 m (G 3), privat, Postleitzahl: 6100 Seefeld in Tirol, im Sommer bewirtschaftet. Zugänge: von Seefeld, 1^1/$_2$ Std.; von Reith, 2 Std.; von Auland, 1 Std. Übergänge: zur Rosshütte, 1 Std.; zur Nördlinger Hütte, 2 Std.

Rosshütte, Endstation der Standseilbahn, 1751 m (H 3), privat, Postleitzahl: 6100 Seefeld in Tirol, ganzjährig bewirtschaftet. Zugang: von Seefeld, 2 Std. oder mit der Standseilbahn. Übergänge: von hier Kabinenbahn (Seefelder Jochbahn) zum Seefelder Joch oder 1 Std. (leicht). Skigebiet. Ausgangspunkt der Härmelekopfbahn, 2034 m, oder 1 Std. (leicht). Skigebiet.

Solsteinhaus, 1806 m (I 4), Alpenverein, Postleitzahl: 6170 Zirl, im Sommer bewirtschaftet. Zugänge: von Hochzirl, 2^1/$_2$ Std.; von Scharnitz, 4^1/$_2$ Std. Übergänge: zur Eppzirler Alm, 2 Std.; zur Neuen Magdeburger Hütte am Zirler Schützensteig, 2^1/$_4$ Std. (nur für Geübte). Gipfel: Großer Solstein, 2541 m, 2^1/$_4$ Std. (leicht); Erlspitze, 2405 m, 1^1/$_2$ Std. (nur für Geübte).

Mieminger Kette

Neue Alplhütte, 1504 m (B 3), privat, Postleitzahl: 6410 Telfs, im Sommer bewirtschaftet. Zugänge: von Wildermieming, 2 Std.; von Telfs, 2^1/$_2$ Std.

Rauthhütte, 1605 m (D 3), privat, Gasthof auf der Moosalm am Osthang der Hohen Munde, Postleitzahl: 6105 Leutasch, ganzjährig bewirtschaftet. Zugang: von Oberleutasch, 1^1/$_2$ Std. Übergang: nach Buchen, 1 Std. Gipfel: Hohe Munde, Ostgipfel, 2592 m, 1^1/$_2$ Std. (nur für Geübte).

Ropferstub'm (Bauernmuseum), 1210 m (D 3), privater Gasthof am Weg von Leutasch nach Mösern, Postleitzahl: 6410 Leutasch, ganzjährig bewirtschaftet. Zugang: von Buchen, 20 Min. Übergang: zur Rauthhütte, 1^1/$_4$ Std.

Strassberghaus, Gasthof, 1191 m (B 3), privat, Postleitzahl: 6410 Telfs, ganzjährig bewirtschaftet. Zugänge: von Telfs, 1^3/$_4$ Std.; von Wildermieming (Autobushaltestelle Affenhausen), 1^1/$_4$ Std.; mit dem Auto bis zum Schranken oder Parkplatz. Übergänge: zur Neuen Alplhütte, 1 Std.; zur Tillfussalm im Gaistal über die Niedere Munde, 2059 m, 3^1/$_2$ Std. Gipfel: Hohe Munde, 2662 m, 4^1/$_2$ Std. (nur für Geübte).

Seefelder Hochfläche

Neuleutasch, 1217 m (F 3), privat, Gasthaus an der Straße von Seefeld nach Oberleutasch, Postleitzahl: 6105 Leutasch, ganzjährig bewirtschaftet.

Triendlsäge, 1125 m (FG 3), privat, Gasthof am Nordrand von Seefeld, Postleitzahl: 6100 Seefeld in Tirol. Mit dem Auto erreichbar.

Wildmoosalm, 1314 m (F 3), privat, Postleitzahl: 6100 Seefeld in Tirol, ganzjährig bewirtschaftet. Zugänge: von Seefeld, ^{1}/$_2$ Std.; von Oberleutasch, 1 Std. Übergang: nach Mösern, 1 Std.

Wettersteingebirge

Alpenglühen-Wirtshaus, 1502 m (A 2), privat, Postleitzahl: 6632 Ehrwald, ganzjährig bewirtschaftet. Zugang: von der Ehrwalder Alm (Bergstation der Gondelbahn), ^{1}/$_4$ Std. Übergänge: zur Hochfeldernalm, ^{3}/$_4$ Std.; zur Tillfussalm, 2 Std.; zur Coburger Hütte, 1^3/$_4$ Std.

Ehrwalder Alm, 1502 m (A 2), privat, Postleitzahl: 6632 Ehrwald, ganzjährig bewirtschaftet. Zugänge: von Ehrwald, 1^1/$_2$ Std. oder mit Gondelbahn. Übergänge: zur Coburger Hütte, 2 Std.; zur Knorrhütte, 3^1/$_2$ Std.

Gaistalalm, 1366 m (C 2), privat, Postleitzahl: 6105 Leutasch, im Sommer und Winter bewirtschaftet. Zugang: von Oberleutasch, 2^1/$_4$ Std. Übergang: zur Rotmoosalm, 1^1/$_2$ Std.; zur Tillfussalm, ^{1}/$_4$ Std.; zur Hochfeldernalm, 1^1/$_4$ Std.; zur Neuen Alplhütte, 3^1/$_2$ Std. Gipfel: Hohe Munde, Westgipfel, 2662 m, 4^1/$_2$ Std. (nur für Geübte).

Hämmermoosalm, 1417 m (CD 2), privat, am Südfuß des Teufelsgrates, Postleitzahl: 6105 Leutasch, ganzjährig bewirtschaftet. Zugänge: von Oberleutasch, 1^1/$_4$ Std.; von der Tillfussalm, 1^1/$_2$ Std. Übergänge: zur Wettersteinhütte, 1^1/$_4$ Std.; zur Rotmoosalm, 1^1/$_2$ Std. Gipfel: Schönegg, 1624 m, ^{3}/$_4$ Std. (leicht).

Hochfeldernalm, 1732 m (A 2), privat, Postleitzahl: 6105 Leutasch, im Sommer bewirtschaftet. Zugänge: von Oberleutasch, 3^1/$_2$ Std.; von der Ehrwalder Alm, 1 Std. Übergang: zur Knorrhütte, ca. 3^1/$_2$ Std.

Knorrhütte, 2051 m (B 1), Alpenverein, Postleitzahl: 82467 Garmisch-Partenkirchen, im Sommer bewirtschaftet. Zugänge: von Garmisch-Partenkirchen durch das Reintal, 7 Std.; von der Ehrwalder Alm über das Gatterl, 3^1/$_2$ Std. Übergänge: zum Sonn-Alpin-Haus, 2 Std.; zur Reintalangerhütte, 1^1/$_2$ Std. Gipfel: Zugspitze, 2962 m, 3 Std. (nur für Geübte).

Meilerhütte, 2366 m (E 1), Alpenverein, Postleitzahl: 82467 Garmisch-Partenkirchen, im Sommer bewirtschaftet. Zugänge: von Garmisch-Partenkirchen über Schachen, 6 Std. (Schwindelfreiheit im oberen Anstieg erforderlich); von Unterleutasch durch das Bergleintal, ca. 5 Std. (mittel); von Unterleutasch über den Söllerpass, 5 Std. (nur für Geübte). Übergänge: zur Oberreintalhütte, 2 Std.; zum Schachenhaus, 1 Std. Gipfel: Partenkirchner Dreitorspitze (Westgipfel), 2633 m, am Hermann-von-Barth-Weg, 2^1/$_2$ Std. (nur für Geübte), gute Steiganlage, sonst nur Kletterpartien für Alpinisten.

Münchner Haus, 2962 m (A 1), Alpenverein, Postleitzahl: 82467 Garmisch-Partenkirchen, im Sommer bewirtschaftet. Zugänge: von Garmisch oder Ehrwald, 8 Std.; vom Sonn-Alpin-Haus, 1 Std. bzw. mit der Zugspitzbahn oder der Gondelbahn erreichbar. Übergänge: zur Knorrhütte, 2 Std.; zur Wiener-Neustädter Hütte, 2 1/2 Std. (nur für Geübte).

Oberreintalhütte (Franz-Fischer-Hütte), 1532 m (D 1), Alpenverein, Postleitzahl: 82467 Garmisch-Partenkirchen, Selbstversorgerhütte, im Sommer Getränke erhältlich. Zugang: von Garmisch-Partenkirchen, 4 Std. Übergänge: zum Schachenhaus, 1 1/4 Std.; zur Meilerhütte, 3 Std.; zur Reintalangerhütte, 2 1/2 Std. Gipfel: Klettergebiet.

Reintalangerhütte (Angerhütte), 1369 m (B 1), Alpenverein, Postleitzahl: 82441 Ohlstadt, im Sommer bewirtschaftet. Zugang: von Garmisch-Partenkirchen, 5 Std. Übergänge: zur Knorrhütte, 2 Std.; zur Oberreintalhütte, 3 Std. Gipfel: Hochwanner, 2744 m, 5 Std. (nur für Geübte).

Rotmoosalm, 1904 m (C 2), privat, Postleitzahl: 6105 Leutasch, im Sommer bewirtschaftet. Zugänge: von Oberleutasch, 3 1/2 Std.; von der Gaistalalm, 1 1/2 Std. Übergänge: zur Hämmermoosalm 1 Std.; zur Wettersteinhütte, 2 Std.; zur Ehrwalder Alm, 2 1/2 Std. Gipfel: Schönberg, 2142 m, 3/4 Std. (leicht); Predigtstein, 2234 m, 3/4 Std. (mittel).

Schachenhaus, 1866 m (E 1), privat, Postleitzahl: 82467 Garmisch-Partenkirchen, im Sommer bewirtschaftet. Zugang: von Garmisch-Partenkirchen, 4 1/2 Std. Übergänge: zur Meilerhütte, 1 1/2 Std.; zur Oberreintalhütte, 1 1/4 Std. Gipfel: Teufelsgsass, 1942 m, 1/4 Std.; Schachentorkopf, 1957 m, 1/2 Std.

Schüsselkarbiwak, 2536 m (E 1), Alpenverein, ganzjährig offen, Matratzenlager für 6 Personen. Zugang: von der Oberreintalhütte in anspruchsvoller Kletterei (III), 6 Std. Gipfel: Klettergebiet.

Sonn-Alpin-Haus, 2576 m (A 1), privat, Postleitzahl: 82467 Garmisch-Partenkirchen, im Sommer bewirtschaftet. Zugänge: von der Knorrhütte, 2 Std.; von Garmisch-Partenkirchen mit der Zahnradbahn und noch wenige Minuten. Übergang: zum Münchner Haus, 1 Std. Gipfel: Zugspitze, 2962 m, 1 Std. (mittel); Schneefernerkopf, 2874 m, 1 Std. (mittel).

Tillfussalm, 1382 m (B 2), privat, Postleitzahl: 6105 Leutasch, im Sommer bewirtschaftet. Zugänge: von Oberleutasch/Gasthaus Gaistal, 2 1/4 Std.; von der Ehrwalder Alm, 2 Std. Übergänge: zur Knorrhütte, ca. 3 1/2 Std.; vom Strassberghaus oder zur Neuen Alphütte über den Niedere-Munde-Sattel, ca. 3 1/2 Std.; zur Wettersteinhütte über die Rotmoosalm, 3 Std. Gipfel: Hohe Munde, 2662 m, 4 1/2 Std. (nur für Geübte).

Wangalm, 1753 m (D 2), privat, Postleitzahl: 6105 Leutasch, im Sommer bewirtschaftet. Zugang: von Oberleutasch/Klamm, 2 Std. Übergänge: zur Hämmermoosalm, 1 Std; zur Rotmoosalm, 2 1/2 Std. Gipfel: Gehrenspitze, 2367 m, 2 3/4 Std. (leicht).

Wettersteinhütte, 1717 m (D 2), privat, Postleitzahl: 6105 Leutasch, ganzjährig bewirtschaftet. Zugang: von Oberleutasch/Klamm, 1 1/2 Std. Übergänge: zur Hämmermoosalm, 1 Std.; zur Tillfussalm über die Rotmoosalm, 2 1/2 Std. Gipfel: Gehrenspitze, 2367 m, 3 Std. (leicht).

Wiener-Neustädter-Hütte, 2209 m (A 1), Österreichischer Touristenklub, Postleitzahl: 6632 Ehrwald, im Sommer bewirtschaftet. Zugänge: von Ehrwald, 3 1/2 Std.; von der Stütze IV der Österreichischen Zugspitzbahn, 1/2 Std. Übergang: zum Münchner Haus, 3 Std. (nur für Geübte). Gipfel: Zugspitze, 2962 m, ca. 3 Std. (nur für Geübte).

 Via Alpina Auf 341 Tagesetappen, 5 verschiedenen Routen und über 5000 km Weglänge lädt dieser außergewöhnliche Wanderweg zu einer Entdeckungsreise durch acht Alpenstaaten von Monaco über Frankreich, die Schweiz, Liechtenstein, Deutschland, Österreich, Italien und Slowenien. Der Weg beginnt in Monaco und endet in Triest. Die Via Alpina schlängelt sich zwischen 0 und 3000 Meter Höhe durch den Alpenbogen, durchquert 9 Nationalparks, 17 Naturparks, zahlreiche Naturschutzgebiete und überschreitet 60 mal die Staatsgrenzen. Die Routen weisen keine technischen Schwierigkeiten auf, sind also in den Sommermonaten mit einer angemessenen Wanderausrüstung ohne Seil und Steigeisen zu begehen. Jede Etappe verfügt über ein oder mehrere Übernachtungsmöglichkeiten in Tallagen oder auf den Schutzhütten der alpinen Vereine.

Als ein Projekt der 1991 von den Alpenstaaten unterzeichneten Alpenkonvention steht für die Via Alpina die Förderung einer nachhaltigen Entwicklung und das Bewusstsein für die Schutzwürdigkeit des sensiblen Lebensraumes Alpen im Vordergrund. Schließlich sind die Alpen nicht nur der größte europäische Naturraum und ein Rückzugsgebiet für eine einzigartige Flora und Fauna, sondern auch Heimat von ca. 13 Millionen Menschen, geprägt von uralten Traditionen und kulturellem Austausch. Weitere Informationen finden Sie unter www.via-alpina.com

Ortsbeschreibungen:

Die Telefon- und Faxnummern der Tourismusverbände finden Sie auf Seite 61.

LEUTASCH   EG 1-2

Gemeinde, Bezirk Innsbruck-Land, Einwohner: 1985, Höhe: 1136 – 1166 m, Postleitzahl: 6105. **Auskunft:** Infobüro Leutasch. **Bahnstationen:** Seefeld (8 km) und Mittenwald (11 km). Busverbindung mit Mittenwald, Seefeld, Reith, Scharnitz, Mösern/Buchen und Telfs. **Bergbahnen:** Sessel- und Schlepplifte.

Die Gemeinde Leutasch dehnt sich mit ihren zahlreichen Weilern im 16 km langen Leutaschtal aus. Im Weiler Kirchplatzl befindet sich das Gemeindeamt. Die Leutascher Ache, die am Gaistalsattel bei Ehrwald ihren Ursprung hat, durchfließt zuerst das Gaistal und dann das Leutaschtal und mündet nach der Leutascher Geisterklamm knapp vor Mittenwald in die Isar (siehe KOMPASS-Anschlusskarte Blatt 26, „Karwendelgebirge"). Die Leutasch ist von Mittenwald, Scharnitz, Seefeld und Telfs aus auf Straßen und verschiedenen Fußwegen gut erreichbar. Das Tal teilt sich in zwei Teile, in die Ober- und Unterleutasch. Man hat es dabei aber mit keinem zusammenhängenden Ort zu tun, sondern mit Weilern, die voneinander oft weit getrennt sind. Vollständig fehlen hier auch die hochgelegenen Bergbauernhöfe, wie man sie in den meisten Tiroler Tälern bewundern kann. Bei den Einfallswegen in die Leutasch konzentrieren sich auch die Ansiedlungen; so liegen am Fuße der Hohen Munde bzw. am Ausgang des Gaistales, die Ortsteile Moos, Obern, Klamm und Platzl, Plaik, Aue, bei der Einmündung der Straße von Seefeld her Unter- und Oberweidach und von Mittenwald kommend Schanz, Burggraben, Unterkirchen, Lochlehn, Reindlau, Puitbach, Ahrn und Gasse.

Von Seefeld steigt die Straße langsam an und leitet durch dichten Fichtenwald, den sogenannten Kellenwald, bis man nach knapp einer viertel Stunde nahe zu Almwiesen gelangt, von wo aus man zum ersten Mal einen freien Blick auf die bewaldeten Höhenrücken des Hochmähder (Simmlberg) und des Eibenwaldes genießt, hinter denen sich die Spitzen der „Seefelder Dolomiten" erheben. Darüber steht das breite Massiv der Großen Ahrnspitze mit ihren Vorgipfeln, der Ahrnplattenspitze und des Weißlehnkopfes. Im Norden wird der Blick durch den mächtig aufsteigenden Wettersteinkamm gebannt. Die riesige Steinmauer reicht vom Hochwanner bis zum Musterstein, während im Westen – durch das tief eingeschnittene Gaistal getrennt – die Hohe Munde mit ihrem breiten Rücken jede Sicht verdeckt. In dieses gewaltige Bergrund eingebettet, von mächtigem Hochwald umrahmt, liegt das langgestreckte Leutaschtal. Fern im Süden grüßen die Berge des Inntales.

Die Leutasch ist arm an Ackerland, dafür reich an Wiesen und Wäldern. Die Bewohner leben vom Tourismus bzw. Holz- und Viehhandel und gehen gerne auf die Jagd. Die Häuser sind trotz des Holzreichtums fast durchwegs aus Stein erbaut. Die einzige Zierde der Bauernhäuser besteht in der Malerei, der sogenannten Lüftlmalerei. Viele Sprüche zieren dazu Wand und Giebel, so der in der Unterleutasch:

„Wer Böses von mir spricht, Betrete diese Wohnung nicht
Denn jeder hat in seinem Leben, Auf sich selbst genugsam Acht zu geben."

Geschichte

Ob die Leutasch bereits zur Römerzeit besiedelt war, ist ungewiss; jedenfalls finden sich keine römischen Ortsnamen. Die Besiedlung dürfte wahrscheinlich von bayerischer Seite her erfolgt sein. Im 11. oder 12. Jh. erwarben sich die Edlen von Weilheim, ein altwelfisches Geschlecht, große Besitzungen in der Leutasch. Im Jahre 1178 ging ein Teil durch Schenkung in den Besitz des Augustiner-Chorherrenstiftes Polling (Bayern) über, das anfangs einen eigenen Stiftsprediger als Seelsorger in die Leutasch entsandte. Erst Mitte des 17. Jh. wurden Weltpriester als wirkliche Kuraten eingesetzt. Die Leutascher scheinen aber nicht immer die Zufriedenheit ihrer Seelsorger erworben zu haben. So schreibt z. B. der damalige Pfarrer von Telfs, Franz von Buol, im Jahre 1777: „Das Leutascher Volk ist von frechen und ausgelassenen Sitten; die mehristen sind dem Wildschißen und Aberglauben ergeben. Auch in Glaubenslehren wenig und zum theil irrig befasset." Bis in das 13. Jh. war das ganze Leutaschtal zum Werdenfelser Land (Garmisch) gehörig, dann konnten sich die Tiroler Landesfürsten in langer Auseinandersetzung behaupten und die Grenze bis an die Leutaschklamm hinaufrücken. Die Leutasch blieb lange Zeit ein stilles Tal, das allerdings in Kriegszeiten nicht verschont wurde. Schon im 13. Jh. stand auf dem „Halsl", dem Übergang von der Unterleutasch nach Mittenwald, eine Befestigung. Als während des 30-jährigen Krieges (1618 – 1648) die „Porta Claudia" bei Scharnitz erbaut wurde, erhielt auch das Leutaschtal eine Schanze als Vorwerk, die jedoch 1805 von den Franzosen durch Verrat auf dem „Franzosensteig" umgangen wurde. Erst 1913 wurde die heutige Fahrstraße durch das Leutaschtal gebaut.

Sehenswert im Ort und in der Umgebung

Der barocke Hochaltar in der im Jahr 1820 erbauten **Pfarrkirche St. Maria Magdalena** in Oberleutasch stammt aus der Klosterkirche Benediktbeuren. – Die **Pfarrkirche zum Hl. Johannes dem Täufer** in Unterleutasch wurde zwischen 1827 und 1831 erbaut. – Die kleine **Pestkapelle** in Weidach wurde 1637 zur Erinnerung an das Pestjahr 1634 errichtet. – Das **Ganghofer-Museum** in Kirchplatzl. – Ein beliebtes Ausflugsziel ist der **Weidachsee.**

Spazierwege

Nach Seefeld von Oberleutasch auf verschiedenen Wegen unterschiedlicher Länge. – Zur Ehrwalder Alm, 1502 m, durch das Gaistal, 5-6 Std. – Rundwanderung: Leutasch – Mösern – Seefeld – Leutasch, ca. 22 km, 5 – 6 ½ Std. Von Platzl aus am Alpenhotel Karwendel vorbei zur Ostbachbrücke, dann am Mooser Weg nach Moos und auf einem schönen Waldweg nach Buchen. Von dort geht's zum Gasthaus Ropferstub'm (Bauernmuseum) und weiter am „Pirschsteig" nach Mösern bis zum Möserer See. Nun auf aussichtsreichem Weg durch die Möserer Mähder direkt nach Seefeld. Auf und neben der Landstraße zum Ausgangspunkt zurück. – Durch die Leutascher Geisterklamm, ca. 1 ½ Std., Ausgangspunkt: Parkplatz vor der Geisterklamm in Schanz.

Bergtouren

Zur Meilerhütte, 2366 m, durch das Bergleintal. Von Leutasch/Lehner gelangt man durch den Puitbacher Wald ansteigend in das Bergleintal. Leicht abwärts zum Bergleinboden mit Blick in die Klamm. Der Steig führt ständig am orographisch rechten Bachufer entlang hinauf zu einer Schutthalde hoch über der Klamm. Links die breite und tiefe Trockenklamm. Nun über Rasen und Schutt entlang unter den Südabstürzen der Törlspitzen und des Mustersteins. Von links kommt der Hermann-von-Barth-Weg, der zur Partenkirchner Dreitorspitze führt. Nun in Windungen hinauf zur von weitem sichtbaren Hütte. Im Aufstieg 4 – 4½ Std., im Abstieg ca. 3½ Std. (nur für Geübte). – Zur Meilerhütte, 2366 m, durch das Puittal. Beim Ortsteil Lehner ansteigend bis zur Puitbachbrücke (¼ Std.) dem orographisch lin-

---

Alpines Notsignal: Sechsmal innerhalb einer Minute in regelmäßigen Zeitabständen ein sichtbares oder hörbares Zeichen geben und hierauf eine Pause von einer Minute eintreten lassen. Das gleiche wird wiederholt, bis Antwort erfolgt.

*Antwort: Innerhalb einer Minute wird **dreimal** in regelmäßigen Zeitabständen ein sichtbares oder hörbares Zeichen gegeben.*

ken Bachufer entlang steigt der Weg, quert ein vom Ofelekopf herabkommendes Schuttbett und teilt sich dann. Bei Kote 1589 m, rechts ab, durch Latschen gegen den nördlich gelegenen Söllerpass, 2211 m, den man steil ansteigend über Gras und Fels und durch eine steile Rinne querend erreicht. Steinmann mit großen Farbflecken. Der Söllerpass liegt westlich oberhalb der tiefsten Einsenkung! Von dort in weitem Bogen über das wellige Leutascher Platt, wo man unterhalb des Anstiegs zur Meilerhütte auf den Weg aus dem Bergleintal trifft. In vielen Windungen hinauf zur Hütte, 5 Std. (nur für Geübte). – Auf die Partenkirchner Dreitorspitze, Westgipfel, 2633

m. Alle anderen Gipfel nur für Kletterer! Hermann-von-Barth-Route, gut versicherter Steig, nur für Geübte oder mit Führer. Der Hermann-von-Barth-Weg zweigt kurz unter dem Dreitorspitzgatterl von dem in das Bergleintal führenden Steig rechts (westlich) ab. Gedenktafel für Hermann von Barth. Er führt mitten durch die Plattenabstürze der Ostwand des Nordostgipfels fast horizontal zur großen Sandreiße hin, die unter den Wänden herabzieht. In zwei großen Kehren überwindet man diese und wendet sich bei einem großen Block (sehr deutliche Markierung) gegen die Felsen. Die Abstürze des Massivs werden durch einen in der Falllinie des Mittelgipfels hervortretenden Felssporn unterbrochen. Gegen diesen wendet sich die Steiganlage. Über steile Schrofen und plattige Rinnen (Drahtseilsicherung und Stufen) leitet der Weg aufwärts, um ungefähr 60 bis 80 m unter dem Mittelgipfel in fast horizontaler Richtung nach links (westlich) umzubiegen. In geringer Steigung, zuletzt in Windungen über den mit groben Trümmern bedeckten Hang wird mühelos der Gipfel erreicht, 2½ Std. – Auf die Gehrenspitze, 2367 m. Von der Wettersteinhütte, 1717 m, dem Klammbach aufwärts folgend gelangt man, leicht ansteigend und im obersten Teil scharf nach Südosten abbiegend, hinauf zum Scharnitzjoch, 2048 m, 1 Std. Vom Joch verfolgt man den südöstlich streichenden begrünten Kamm auf teilweise gut ausgeprägtem Steig. Beim Beginn der Felsen quert man unter diesen südlich durch, an einem gelben Abbruch vorbei und

hinauf zum Ostgipfel. Vom Joch 1^1/$_2$ Std. (leicht, jedoch am Grat Schwindelfreiheit erforderlich). Besonders eindrucksvoll die nahe Wettersteinkette. Im Süden das Seefelder Plateau und die Seefelder Gruppe, rechts die Hohe Munde. – Auf die Hohe Munde, Ostgipfel, 2592 m – Westgipfel 2662 m. Von der Rauthhütte, 1605 m (von Oberleutasch, 1^1/$_2$ Std.) durch eine grasige Mulde und ansteigend (Hüttenrinner) zur Kote 2092. Nun über Geröll auf guter Steigspur hinauf zum Ostgipfel, ca. 3 Std. (nur für Geübte). Der Übergang zum Westgipfel ist nur für Geübte. Von dort Abstieg über die Niedere Munde, 2059 m, zum Strassberghaus, 1191 m, und weiter nach Telfs.

MÖSERN   E 4

Weiler in der Gemeinde Telfs, Bezirk Innsbruck-Land, Einwohner: 300, Höhe: 1245 m, Postleitzahl: 6100. **Auskunft:** Infobüro Mösern-Buchen. **Bahnstationen:** Seefeld in Tirol (Karwendelbahn), 2,5 km und Telfs (Arlbergbahn), 4,5 km. Busverbindung mit Seefeld, Leutasch, Reith, Scharnitz, Mittenwald und Telfs.

Mösern liegt am Südwestende der Seefelder Hochfläche umgeben von herrlicher Gebirgslandschaft. Es macht seinem Namen „Schwalbennest Tirols" alle Ehre, blickt man doch vom steil abfallenden Rand des Plateaus 600 m tief hinab in das weite Inntal. Für Wanderungen ohne große Steigungen und für Langlauftouren steht die ausgedehnte Hochfläche des Seefelder Plateaus zur Verfügung.

Sehenswert im Ort
Die barocke **Kirche Mariä Heimsuchung,** die 1763 umgebaut und vergrößert wurde. Die Fresken und der Altar stammen aus dem Jahr 1772. – Die 1968 gebaute **Gföllkapelle.** – Ein beliebtes Ausflugsziel ist der **Möserer See.** – Besichtigung der **ARGE-ALP Friedensglocke,** welche täglich um 17 Uhr läutet.

Spazierwege
Zum Möserer See, ^{1}/$_4$ Std. – Auf den Gschwandtkopf, 1495 m, ^{3}/$_4$ Std. – Zur Wildmoosalm, 1314 m, über den Brunschkopf, 1510 m, 1^3/$_4$ Std. – Nach Auland bei Reith bei Seefeld, 1^1/$_4$ Std. – Friedensglockenwanderweg, 1 ^{1}/$_2$ Std. ausgehend vom Parkplatz der Seewaldalm über 7 besinnliche Stationen zur Friedensglocke (leicht).

Bergtouren
Auf die Hohe Munde über den Lottensee und Buchen (Anstieg beim Katzenloch) zur Rauthhütte, 1605 m, 3 ^{1}/$_2$ Std. (leicht). Von dort durch eine grasige Mulde und ansteigend (Hüttenrinner) zur Kote 2092 m. Nun über Geröll auf guter Steigspur hinauf zum Ostgipfel, 2592 m, ca. 3 Std. (nur für Geübte). Der Übergang zum Westgipfel, 2662 m, ist nur für Geübte empfehlenswert.

PETTNAU   EF 4

Gemeinde, Bezirk Innsbruck-Land, Einwohner: 970, Höhe: 610 m, Postleitzahl: 6408. **Auskunft:** Tourismusverband Tirol-Mitte. **Bahnstation:** Hatting (1 – 3,5 km). Busverbindung mit Innsbruck und Telfs.

Die Gemeinde besteht aus lockeren Weilern und Ortschaften, die sich längs der Bundesstraße am Fuße des steilen Felsabbruches der Seefelder Senke hinziehen. Der Name „Pettnau" wird wahrscheinlich von der Bezeichnung „Dorf in der Au bei der Fähre" („Pette" = Fähre) abgeleitet. Eine Fähre über den Inn gab es hier wahrscheinlich schon in der Römerzeit. Im Mittelalter überquerte den Salz- und Güterverkehr an dieser Stelle den Fluss.

Sehenswert im Ort und in der Umgebung
Die von einem Hügel weit in das Inntal hinausgrüßende **Pfarrkirche zum hl. Georg** in Leiblfing gehört zweifellos zu den bekanntesten Fotomotiven Nordtirols. Der Bau ist spätgotisch, wurde im Barock erweitert und umgestaltet. Fresken aus dem 15. Jh. an der nördlichen Außenwand und im Kircheninnenraum, Stukkaturen und Kanzel um 1720. – Auch die schon

Wir danken den Tourismusverbänden und alpinen Vereinen, die uns bei der Aktualisierung des vorliegenden KOMPASS-Lexikons tatkräftig unterstützt und uns Bildmaterial zur Verfügung gestellt haben.

1412 urkundlich erwähnte **Kirche zu den hll. Barbara und Christoph** in Oberpettnau wurde Mitte des 17. Jh. erweitert und Mitte des 18. Jh. barock umgestaltet. Die Deckengemälde und das Hochaltarbild stammen von J. A. Zoller, 1774. – Schöne barocke Fassaden mit Malerei oder Stukkaturen zeigen das **Gemeindehaus,** der **Ansitz Sternbach** und der **Gasthof Mellaunerhof,** mit spätgotischen Gewölben im Inneren.

Spazierwege
Nach Mösern von Oberpettnau, ca. 2 Std. – Nach Reith bei Seefeld von Leiblfing, ca. 2 Std. Weiter über Auland nach Mösern, 1¼ Std.

REITH BEI SEEFELD   G 4

Gemeinde, Bezirk Innsbruck-Land, Einwohner: 1100, Höhe: 1130 m, Postleitzahl: 6103. **Auskunft:** Infobüro Reith bei Seefeld. **Bahnstation:** Reith bei Seefeld, Zugverbindungen Richtung Innsbruck, Mittenwald, Garmisch-Partenkirchen und München. Busverbindung mit Seefeld, Leutasch, Mösern/Buchen, Scharnitz, Mittenwald und Telfs. **Bergbahnen:** Anschluss an die Skigebiete Rosshütte/Härmelkopf, sowie an die Gschwandtkopflifte.

Reith liegt hoch über dem Inntal an der alten Straße von Seefeld nach Innsbruck, kurz vor dem Zirler Berg. Der Ort gibt dem aussichtsreichen Berg, der Reither Spitze, 2374 m, seinen Namen. Durch das nahe gelegene Seefeld erhielt Reith im Tourismus eine ganz besondere Rolle. Auf der ganzen Seefelder Hochfläche werden zahlreiche Spazierwege und Bergtouren angeboten. Auch bestehen zahlreiche Abstiegsmöglichkeiten in das Inntal.

Sehenswert im Ort und in der Umgebung
Die neuromanische **Pfarrkirche zum Hl. Nikolaus,** die 1945 schwer beschädigt wurde. Bei der Restaurierung half der hier ansässige Maler und Bildhauer Johannes Obleitner. Von ihm stammen die Kirchentüren, die Glasfenster, die Pietà auf der Orgelempore und der Schmuck in der Totenkapelle. – Die **Reither Kapelle „Frau Häusl"** am Gurgelbach, die angeblich von den Brüdern Martin und Josef Seelos aus Reith errechtet wurde, zum Dank, dass sie der Aushebung durch das bayrische Militär 1809 entgingen. Der 2009 von den Reither Schützen neu errichtete Rosenkranzweg führt über 5 Stationen direkt zur Kapelle. – In Auland die **Mariahilfkapelle** aus dem 19. Jh. – In Leithen die **St. Magnus Kapelle.** – Aus dem 17. Jh. die **Pestsäulen** in Auland und Leithen. – In Leithen das sogenannte **Riesenhaus** mit dem Fresko (1537), das den Kampf zwischen den Riesen Haymon und Thyrsus darstellt, welcher der Legende nach hier stattgefunden haben soll. – In der Maximilianshütte befindet sich das **Ichthyolwerk,** das verschiedene Heilmittel erzeugt. – Am Gurglbach, der das Dorfgebiet durchfließt, wurde ein großer **römischer Meilenstein** ohne Inschrift gefunden.

Spazierwege
Nach Leiblfing im Inntal, herrliches Fotomotiv, 1½ Std. – Nach Dirschenbach im Inntal, 1 Std. – Nach Seefeld in Tirol, schöne Fußwege, ¾ Std. – Ab der Kneippanlage St. Florian in Reith beginnen die 10 Stationen des Reither Bienenlehrpfades. Bei jeder Station erfahren Sie Interessantes zur Volksgemeinschaft der kleinen „Honiglieferanten", am Ende treffen sie auf den Höhepunkt der Wanderung, das erste „Bienenhotel" Österreichs – Nach Hochzirl durch die Schlossbachklamm, 1½ Std. – Zum Kaiserstand, 1440 m, 1¼ Std. (leicht). Auf der alten Bundesstraße kurz nach Überschreiten der Gurglbachbrücke nach links ab, wo man – leicht ansteigend – auf den Weg zum Kaiserstand trifft. Auf diesem Weg gegen Osten weitersteigend zum aussichtsreichen Standpunkt. Tiefblick in das Inntal. – Panoramaweg (Rundwanderweg), ¾ Std. – Die Reitherjoch Alm, 1505 m, ist ein beliebtes Ausflugsziel für Wanderer und Mountainbiker (leicht), ca. ¾ Std. Im Winter als Rodelbahn genutzt. Langlaufloipen nach Auland, 5 km. Anschluss an alle anderen Loipen am Plateau – Wildmoos – Leutasch.

Bergtouren
Auf den Hochleithenkopf, 1276 m, über Mühlberg, ¾ Std. – Auf den Gschwandtkopf, 1495 m, 1 Std. (leicht) oder mit dem Sessellift. – Auf die Reither Spitze, 2374 m, ca. 4 Std. (bis zur Nördlinger Hütte: leicht, zum Gipfel: mittel). Vom Dorf auf markiertem Weg nordöstlich über Wiesen in den Wald. Durch diesen im Gehänge des Rauhenkopfes empor zur Einsattlung zwischen Rauhenkopf und Schoasgrat zum Schartlehnerhaus, 1856 m. Auf der West-

seite des Kammes, an einer Quelle vorüber, zuletzt über den breiten Kammrücken zur Nörd-linger Hütte, 2239 m. Weiter zur Reither Spitze, die man nach ca. 20 Min. erreicht. Die Rei-ther Spitze ist ein bekannter Aussichtsgipfel: Seefelder Hochfläche, Karwendel, Wetter-steingebirge, Hohe Munde, im Süden die Stubaier- und Ötztaler Gletscherwelt. – Zur Epp-zirler Alm, 1459 m, über den Ursprungsattel, 2096 m, siehe unter Seefeld. Gesamttour von Reith bis zur Bahnstation Gießenbach, für ausdauernde Geher, 8¹/₂ Std.

SCHARNITZ | 2

Gemeinde, Bezirk Innsbruck-Land, Einwohner: 1470, Höhe: 964 m, Postleitzahl: 6108. **Auskunft**: Infobüro Schar-nitz. **Bahnstation**: Scharnitz, Zugverbindungen mit Seefeld, Reith, Innsbruck, Mittenwald, Garmisch-Partenkirchen und München. Busverbindung mit Seefeld, Reith, Leutasch, Mösern/Buchen, Telfs und Mittenwald.

Der heute beliebte Tourismusort liegt nahe der bayerisch-tirolerischen Grenze, an der Ein-mündung des Gießenbaches in die Isar. Mit seinem Beinamen „Tor zum Karwendel" ist Scharnitz als Ausgangspunkt für kleinere und größere Wanderungen in die Karwendeltäler bekannt geworden.

Geschichte

Im 5. Jh. vor Christus führte durch dieses Gebiet bereits eine bedeutende Straßenverbin-dung, deren Wichtigkeit in der Römerzeit noch mehr zunahm. Nahe bei Klais (jenseits der heutigen Staatsgrenze) lag die römische Straßenstation Scarbia, deren Name im Wort Scharnitz weiterlebt. Seit jeher hängt die Geschichte des Ortes mit seiner geographischen Lage zusammen: Unmittelbar nördlich von Scharnitz liegt die engste Stelle zwischen dem Wetterstein- und Karwendelgebirge. Im 14. Jh. entstand die Siedlung an der Isarbrücke; zahlreiche Rodungen waren dafür notwendig. Ergiebiger Bergbau in der Umgebung lockte zahlreiche Menschen an. Im Dreißigjährigen Krieg (1618 – 1648) erwarb die Innsbrucker Regierung vom Hochstift Freising hier einen Grund, um eine Talsperre zu errichten. Diese wurde in den Jahren 1632 – 1634 unter der Landesfürstin Claudia von Medici erbaut und nach ihr benannt. Während sie im Dreißigjährigen Krieg nicht zerstört wurde, wurde sie zu Beginn des 18. Jh. im sogenannten „Bayerischen Rummel" von den Feinden eingenom-men. Unter Maria Theresia wurde sie wieder hergestellt und ausgebaut. 1766 wurden hier dann die Landesgrenzen endgültig festgelegt.

Sehenswert im Ort und in der Umgebung

Die **Mariahilfkirche** von 1896, mit Inneneinrichtung von 1955. – Die 1965 erbaute **Birzel-kapelle.** – Im Talschluss des Karwendeltales die barocke **St.-Wendelin-Kapelle.** – Die **Rui-nen der Porta Claudia.** – An der Isarbrücke im Büro des Tourismusverbandes das **Besu-cherzentrum Scharnitz**: Eine Schau- und Informationstafel über das Naturschutzgebiet Al-penpark Karwendel. Das Herzstück ist ein 8000 Jahre altes Elchskelett, welches vom Hüt-tenwirt der Pleisenhütte, Toni Gaugg, im Jahre 1951 aus der Vorderkarhöhle am Pleisen ge-borgen wurde. Außerdem Infoboards über Geologie und Bergbaugeschichte; wichtige Mi-neralien und Geschichtliches aus dem Ort und dem Karwendelgebirge. – Die **Geisterklamm**.

Spazierwege

Zur Birzelkapelle, 1128 m, von der Isarbrücke aus über Platt, ³/₄ Std. – Nach Gießenbach am Stuckweg, entlang der Karwendelbahn, 1 Std. – Nach Gießenbach entlang des gleich-namigen Baches, 1 Std. – Nach Gießenbach über den Rossboden, den Mühlberg und nörd-lich des Marendköpfls zum Ziel, 2 Std. – Zu den Ruinen der Porta Claudia über den Kalva-rienberg, 45 Min. – Rundwanderung: Von Scharnitz aus über die Hinterautalstraße zur Kar-wendelstraße. Diese entlang und das Brantlegg umgehend nordwärts zur Birzelkapelle, 1128 m, und über Platt zum Ausgangsort zurück, 3 Std. – Nach Leutasch, zuerst den Gießenbach entlang, bei der Wegkreuzung halten wir uns rechts und bleiben nach wie vor auf Weg Nr. 18. Über den Sattelstein erreichen wir den Hohen Sattel, 1495 m, und das Sat-teltal auswärts gelangen wir zum Zielort, 3 – 3¹/₂ Std. – Nach Seefeld, zuerst am Stuckweg bis Gießenbach und dann am sogenannten Hirnweg zum Ziel, 3 Std. – Zur Jausenstation Oberbrunnalm, 1523 m, immer auf Weg Nr. 30, gemütlich zum Ziel, ca. 4 Std.

Naturparkhaus Hinterriß
Hinterriß 4 | A-6215 Vomp
Tel.: +43 (0)5245 - 28914
info@karwendel.org
www.karwendel.org

ALPENPARK
KARWENDEL

NATURPARKHAUS HINTERRISS

- Ausstellung mit Bodenhaftung
- Erlebnisreiche Führungen für Erwachsene & Kinder
- Interessante Vorträge über aktuelle Themen
- Informationen für Wanderer und Besucher des Ahornbodens

Öffnungszeiten
durchgehend geöffnet von Mai - Oktober
Mo - So von 9:00 bis 17:00 Uhr

MIT UNTERSTÜTZUNG VON BUND, LAND UND EUROPÄISCHER UNION

Europäischer Landwirtschaftsfonds
für die Entwicklung des ländlichen
Raums: Hier investiert Europa in
die ländlichen Gebiete.

 LE 07-13
Entwicklung für den ländlichen Raum

tirol

lebensministerium.at

Bergtouren

Auf die Große Ahrnspitze, 2196 m. Zuerst zu den Ruinen der Porta Claudia (25 Min.). Nach ca. 1¹/₂ Std. auf Weg Nr. 21 wird die bayrische Grenze überschritten und im Bayerischen Kar die Ahrnspitzhütte/Notunterkunft erreicht (bis hierher 3¹/₄ Std., leicht; Naturschutzgebiet). Aufstieg zum Gipfel noch 1 Std. (nur für Geübte). Rundblick in das Wetterstein- und Karwendelgebirge. – Auf die Brunnensteinspitze, 2180 m, 5 Std. Von dem bei der Isarbrücke beginnenden Fußweg zum Karwendelhaus zweigt nach wenigen Minuten links ein bequemer Steig zur Adlerkanzel ab. Dort beginnt ein Steig, der steil in die Höhe zieht und zunächst zum Brunnensteinkopf, 1924 m, führt. Man folgt über mäßig ansteigende Felsschrofen dem Grat bis zu einem steil abstürzenden, kahlen Felskegel, der letzten Graterhöhung vor dem Gipfel zur Brunnensteinspitze. Man umgeht ihn nach rechts und steigt über Schutt und Rasen wieder zum Grat auf, der ohne jede Schwierigkeit zur Brunnensteinspitze führt. – Der Übergang zur nahegelegenen Rotwandlspitze, 2191 m, und weiter zur Tiroler Hütte, 2153 m, ist leicht und erfordert eine knappe ¹/₂ Std. – Zur Eppzirler Alm, 1459 m, durch das Gießenbachtal, 1³/₄ Std. (leicht, Von Scharnitz bis zum Eingang des Gießenbachtales, 1 Std.). Der Besuch des schönen, von der „Seefelder Dolomitgruppe" umschlossenen Tales ist für sich allein schon ein überaus lohnender Ausflug. Nahe der Bahnstation Gießenbach über die Bahn und man ist schon inmitten der engen Talschlucht des Gießenbaches. Siebenmal überschreitet man auf gut ausgebautem Weg den Bach und gelangt an einer Findlingsblöcken vorbei zu einer Talgabelung. (Links zweigt ein Weg zur Jausenstation Oberbrunnalm ab.) Rechts ansteigend gelangt man an einer Quelle vorbei zur Eppzirler Alm. – Über die Eppzirler Scharte, 2103 m, zum Solsteinhaus, 1806 m, am Erlsattel, ab Eppzirler Alm, 2¹/₂ Std. (mittel). Von der Eppzirler Alm an den Fuß der riesigen Schutthalde, die von der Eppzirler Scharte nach Norden herabzieht. Mühsam zur engen Einschartung empor. Östlich der Erlspitze und westlich der Vorbauten der Kuhlochspitze. Gegen Süden durch die Schuttgasse absteigend, kommt man zu einem kleinen Steig, der die Schutthalden östlich querend zuletzt über Weideböden in ¹/₂ Std. zum Solsteinhaus führt. Weiter Weg zur Bahnstation Hochzirl in 2 Std.

SEEFELD IN TIROL	FG 3

Gemeinde, Bezirk Innsbruck-Land, Einwohner: 3150, Höhe: 1180 m, Postleitzahl: 6100. **Auskunft:** Infobüro Seefeld in Tirol. **Bahnstation:** Seefeld in Tirol, Zugverbindungen mit Reith, Scharnitz, Innsbruck, Mittenwald, Garmisch-Partenkirchen und München. Busverbindung mit Leutasch, Mösern/Buchen, Reith, Scharnitz, Mittenwald und Telfs. **Bergbahnen:** Standseilbahn Rosshütte, Kabinenseilbahn Seefelder Joch, Kabinenseilbahn Härmelekopf, zahlreiche Sessel- und Schlepplifte; Skigebiet Gschwandtkopf mit Sessel- und Schlepplliften.

Die Lage von Seefeld in Tirol ist so einmalig, dass kein anderer Ort im weiten Umkreis damit verglichen werden kann. Schon die Höhe des Seefelder Plateaus (1200 m) und dessen große Ausdehnung geben dem Besucher und Wanderer die Gewissheit guter Erholung und reichen Genusses. Von einem Hochgebirgspanorama umgeben, das alle Wünsche des Bergsteiger erfüllt, bietet Seefeld außerdem alles, was sich Kurgast und Wanderer erwarten. Zweimal (1964 und 1976) hat sich Seefeld den Anforderungen einer Winter-Olympiade und 1985 der Nordischen Ski-Weltmeisterschaft mit vollem Erfolg gestellt; Seefeld ist seit 2002 auch jährlicher Austragungsort des Doppelweltcups der Nordischen Kombination. Die dadurch entstandenen sportlichen Einrichtungen sind allen Besuchern heute eine willkommene Beigabe. Dazu eine beachtliche Zahl an Gaststätten, Erholungszentren, Bergbahnen und ein ausgedehntes Netz von gepflegten Spazierwegen (150 km), die sich auf der weiten Hochfläche bis zu Tagesmärschen erweitern lassen sowie ein umfassendes und perfekt beschildertes System mit Nordic Walking- und Laufstrecken (266 km), die „Running und Nordic Walking Arena", welche dazu einlädt Kondition zu tanken und die Natur zu genießen. Überall gastliche Unterkunft und für jedes Temperament die richtige Unterhaltung. Auf einer Fläche von fast siebzig Quadratkilometern wechselt dichter Hochwald mit lichten Lärchenwäldern und weiten Wiesen. Nahe Berge laden zu luftigen Besteigungen ein und herrliche Alpenmatten geben Gelegenheit, die Mühen und Lasten des Alltags vergessen zu lassen. Und wenn der Winter sein weißes Kleid über Hochfläche und Berge ausbreitet, sind dem Wintersportler Möglichkeiten des Langlaufes, aber auch der rasanten Abfahrt geboten.

Beides – die sommerlichen Wanderungen und der winterliche Skiaufenthalt – haben Seefeld zu einem Erholungs- und Sportzentrum ersten Ranges gemacht. Für den Ruhe suchenden Gast und der Umwelt zuliebe wurde hier eine Fußgängerzone geschaffen, die einen geruhsamen Bummel durch das Zentrum des Olympia-Dorfes zum Genuss werden lässt. Rund 80 Geschäfte sowie diverse Restaurants und Terrassencafes erfüllen alle Wünsche.

Der Besucherstrom mit weit über 1 Million Übernachtungen setzt sich vor allem aus Deutschen, Schweizern und Italienern zusammen; aber auch Holländer, Briten, Amerikaner, Belgier und Franzosen geben dem internationalen Charakter besondere Merkmale. Beliebte Anziehungsplätze in Seefeld sind der 18-Loch-Meisterschafts-Golfplatz, die Golfacademy sowie das Casino Seefeld.

Drei Zufahrtswege stehen dem Besucher offen: Von Norden her, aus Deutschland kommend, führt die gut ausgebaute Bundesstraße 177 über Mittenwald und Scharnitz nach Seefeld. Auf der gleichen Strecke bringt die Karwendelbahn (Garmisch/Partenkirchen – Scharnitz – Seefeld – Innsbruck) Gäste mit dem Zug. Von Süden steigt, aus dem Inntal kommend, die Bundesstraße 177 über den Zirler Berg (16% Steigung) zur Hochfläche. Die Karwendelbahn führt von Innsbruck kommend durch viele Tunnels und landschaftlich herrliches Gebiet in das Seefelder Land. Für alle jene, die aus dem Westen nach Seefeld anreisen, zweigt bereits in der Ortschaft Telfs (Inntal) eine gute Fahrstraße über Mösern nach Seefeld ab. Der nächste Flughafen ist in Innsbruck (21 km).

Die Zugspitze, 2962 m, spiegelt sich im Seebensee
Zugspitze, 2962 m, mirrored in Seebensee (lake)
La Zugspitze, 2962 m, si specchia nel laghetto di Seeben

Geschichte

Dieses schmucke Tiroler Dorf blickt auf eine lange Geschichte zurück. An Seefeld führte die Via Claudia Augusta vorbei, jene Straße, die von Italien kommend durch Rätien nach Augsburg den Verkehr brachte. Der Name des Ortes rührt von den beiden Seen her, von denen der östliche, der sogenannte Wildsee, heute noch vorhanden ist, während der mehr westlich gelegene größere See, den einst Erzherzog Siegmund künstlich anlegen ließ, heute ausgetrocknet ist. Das Seekirchl stand früher auf einer Insel in diesem See. Nicht immer verlebte Seefeld ruhige Zeiten. Die Kriegsjahre im 18. und 19. Jh. gingen auch an diesem Ort nicht spurlos vorüber. In den Jahren 1703, 1805 und 1809 beherbergte Seefeld französische und bayerische Truppen. Am schlechtesten war das Jahr 1809, wo einige Nachzügler der Truppe des Generals Beaumont Feuer legten, dem die halbe Ortschaft (fast 14 Häu-

Das bekannte Seekirchl/The famous Seekirchl/La famosa Seekirchl

ser) zum Opfer fiel. 1516 wurde neben der Kirche mit dem Bau eines Klosters begonnen, das für die Augustiner Nonnen aus dem Halltal bestimmt war. Da es nicht zur Übersiedlung der Nonnen kam, blieb der Bau, von dem die Hauptmauern bis unter das Dach reichten, im 16. Jh. unvollendet. Erst unter Erzherzog Maximilian, als die Augustiner-Eremiten nach Seefeld kamen und die Pfarrei und das Kloster übernahmen, wurde im Jahre 1604 der Weiterbau des Klosters vorangetrieben. Nicht lange aber konnten sich die Mönche ihres Besitztums erfreuen, denn bereits im Jahre 1785, unter Kaiser Josef II., wurde der Konvent aufgelöst. Anno 1805 wurden die Klostergüter in Seefeld nebst dem Klostergebäude und der dazu gehörigen Brauerei um den Preis von 20 300 Gulden an den Posthalter Anton Hörting und den Metzger Nikolaus Sailer in Seefeld verkauft (jetzt Hotel Klosterbräu).

Sehenswert im Ort und in der Umgebung

Die **Pfarrkirche zum Hl. Oswald** wurde 1423 – 1474 erbaut, 1604 verlängert, spätgotische Staffelkirche unter einheitlichem Dach; reich gegliedertes Hauptportal mit prachtvoll geschnitztem Wappenstein, innen Rautennetzgewölbe mit schönen Schlusssteinen, Fresken im Triumphbogen und im Chor, 15. Jh., außen am Turm Christophorus und zwei Mönche, 1617; Ausstattung: neugotischer Hochaltar, zum Teil mit alten, gotischen Schnitzstatuen aus dem 15. und 18. Jh.; im Chor Tafelbild (Seefelder Altarwunder) von Jörg Kölderer, 1502; rechts spätgotischer Seitenaltar, darüber spätgotisches Kruzifix; an der Wand Relief „Pfingstwunder'" vom Anfang des 16. Jh.; gotischer Taufstein, gotische Kanzel, 1525. Heilig-Blut-Kapelle vom Seitenschiff der Pfarrkirche über Marmortreppe erreichbar, erbaut 1574 von Alberto Lucchese, Hofbaumeister von Erzherzog Ferdinand II., 1724 barockisierte bemalte Stukkaturen, Deckenbilder von J. Puellacher, 1772, von diesem auch die Wandbilder in den Gängen des anschlie-ßenden ehemaligen Augustinerklosters, gegründet 1516, heute Hotel. – Das **Seekirchl**, gestiftet 1628 von Erzherzog Leopold V. zur Aufnahme des wundertätigen Kreuzes; Kuppelfresken von Hans Schor, Fresken an den Chorpfeilern und Nebenaltarbilder von J. Puellacher.

Spazierwege

Rund um den Wildsee („Kaiser-Maximilian-Weg", ein Themenweg mit Informationen über die Entwicklung der außerordentlichen Landschaft rund um den Wildsee), 40 min.; vom Südende des Sees weiter nach Auland, 20 Min. – Auf den Pfarrhügel (Seefelder Kreuzweg), ca. 20 min., Ausgangspunkt ist die Pfarrkirche Seefeld, auf dem Pfarrhügel erwarten den Wanderer ein Steinkreis und wunderschöne Ausblicke auf Seefeld, den Wildsee und die umliegenden Gebirgsketten. - Auf den Gschwandtkopf, 1495 m, rechts oder links der Lifte führen gute Wege hinauf zur Hütte und zum Gipfel, 1¼ Std. – Vom Gschwandtkopf Abstieg auf Route 85 nach Mösern, 1 Std. oder nach Auland, 1 Std. – Nach Mösern auf Route 2 über die Möserer Mähder und weiter zum Möserer See, 1 Std. – Nach Mösern auf den Wegen 2 und 60, südlich der Möserer Höhe, 1½ Std. – Zur Wildmoosalm, 1314 m, am Hörmannweg, 1 Std., anfangs etwas steil. – Von der Wildmoosalm am Steckenweg nach Weidach/Leutasch, 2 Std. Man biegt im Fludertal rechtzeitig nach links ab und nimmt den schö-

nen Weg durch den Schlagwald. – Von der Wildmoosalm am Blattsteig nach Mösern, 1 Std.
– Zum Waldgasthof Triendlsäge, 1125 m, ca. ¹/₂ Std. – Zur Bodenalm, 1048 m, dem Seebach entlang, ³/₄ Std. – Zum ehemaligen „PlayCastle" am Schlossberg führt der Römerweg,
¹/₂ Std. – Nach Gießenbach (Haltestelle der Karwendelbahn) vom ehemaligen „PlayCastle"
aus am Hirnweg, 2¹/₂ Std. – Nach Weidach/Leutasch über Neuleutasch, 1¹/₂ Std. – Nach
Reith bei Seefeld über Auland, 1 Std. – Auf die Rosshütte, 1751 m, mit der Standseilbahn
und Abstieg durch das Hermannstal, 1¹/₄ Std. – Zur Wildmoosalm, 1314 m, und
weiter zur Wildmoosalm, 1314 m, durch das Kellental, 1¹/₂ Std. – Zur Reitherjoch Alm, 1505
m, direkter Anstieg über den Knappenboden, 1¹/₄ Std.; bequemer aber weiter durch das
Hermannstal in weiter Kehre durch den Krinzwald, 1³/₄ Std. – Zur Eppzirler Alm, 1459 m,
über den Schlagsattel, 1480 m, 3 Std. (leicht). Am Schlossberg, nördlich von Seefeld, beginnt der Schlagsteig, der – die Oberlehnklamm querend – durch den Strafwald auf den
Schlagsattel führt. Von dort durch den Schönwald in das Eppzirler Tal absteigen und dieses
einwärts bis zur Alm wandern.

Bergtouren

Zur Bergstation der Härmelekopfbahn, 2034 m, über die Reitherjoch Alm, 1505 m, und den
Hochanger, 2 Std. (leicht). – Auf die Reither Spitze, 2374 m. Auf der alten Bundesstraße bei
Kilometer 8,2 auf markiertem Weg links ab zur Maximilianshütte (Ichthyolwerk: die Seefel-
der Gruppe ist reich an bituminösen Schiefern – viele Versteinerungen, Ichthyolgewinnung).
Vor der Fabrik bei der Wegtafel links ab und auf bezeichnetem Steig zur Reitherjoch Alm,
1505 m. Von dort zuerst süd-, dann ostwärts, an einer Quelle vorbei und dann steil im Gra-
ben empor, zuletzt im Zickzack hinauf zur längst sichtbaren Nördlinger Hütte, 2239 m, 3¹/₂
Std. (leicht). An der Waldgrenze letztes Wasser! Zum Gipfel der Reither Spitze noch ca. 20
Minuten (mittel). Berühmter, die Seefelder Hochfläche beherrschender Aussichtsberg.
Blick: im Norden Wettersteingebirge mit Zugspitze, im Osten Karwendel, im Süden Kühta-
er Vorberge, Kalkkögel mit Axamer Lizum, die gesamte Stubaier- und Ötztaler Gletscherwelt. – Von der Nördlinger Hütte über den Ursprungsattel, 2096 m, in das Eppzirler Tal und
zur Bahnstation Gießenbach, 4¹/₂ Std. (mittel). Von der Hütte auf der Ostseite ca. 60 – 80
m Abstieg. Auf schmalem Steig wird der Osthang überquert; unter den Ursprungtürmen
durch und in 20 Min. bis zum breiten Ursprungsattel. Nordwärts steigt man durch das Wimmertal ab und erreicht das Eppzirler Tal ca. ¹/₄ Std. unterhalb der Eppzirler Alm. Man kann
aber auch, unter dem Sattel sich östlich haltend über den Grat des Sunntigköpfls, 1765 m,
unmittelbar zur Eppzirler Alm, 1459 m, absteigen. Von dort bis Gießenbach durch das Eppzirler und Gießenbachtal wandernd zur Bahnstation Gießenbach, 2 Std. – Von der Nördlinger Hütte weiter in östlicher Richtung zum Ursprungsattel, 2096 m; von dort nach rechts
durch Schluchten und Schrofen (nahe der Grathöhe) bis unterhalb der Erlspitze und schließlich hinunter zum Solsteinhaus, 1806 m, 6 – 8 Std. (nur für Geübte). – Übergang von der
Reither Spitze über die Seefelder Spitze, 2221 m, zum Seefelder Joch, 2060 m. Der direk-
te Gratübergang ist wegen des hohen Abbruchs schwierig. Man steigt daher von der Reither Spitze über den Nordwestgrat zur Reither Scharte, 2197 m, ab. Über Schrofen und Rasen hinab in das zwischen Reither Scharte und Seefelder Spitze liegende Reither Kar, aus
dem man über den begrünten Westhang zur Seefelder Spitze emporsteigt, 1 Std. (mittel).
Von dort Abstieg zum Seefelder Joch, ³/₄ Std. Vom Seefelder Joch mit der Kabinen- und
Standseilbahn nach Seefeld oder zu Fuß, 2¹/₄ Std. (leicht).

Marktgemeinde, Bezirk Innsbruck-Land, Einwohner: 13000, Höhe: 634 m, Postleitzahl: 6410. **Auskunft:** Tourismusverband Telfs. **Bahnstationen:** Telfs-Pfaffenhofen; für Mösern: Seefeld (4 km). Busverbindung mit Innsbruck, Imst und Seefeld.

An einem wichtigen Straßenpunkt im Oberinntal liegt die Marktgemeinde Telfs. Hier zweigt auch eine Straße ab, die über das Mieminger Plateau und den Holzleitensattel zum Fernpass und weiter in das Außerfern führt. Der Ortskern ist malerisch. Hier tragen die Häuser vielfach Malereien, weshalb Telfs auch als „Freskendorf" bekannt wurde. Zu dem ausgedehnten Markt gehören auch zahlreiche Weiler, z. B. Mösern (siehe dort!), Buchen und Bairbach. Telfs entwickelte sich zu einem beliebten Tourismusort und bietet ein gut markiertes Netz an Wanderwegen an. Die Marktgemeinde ist ein wichtiges wirtschaftliches und kulturelles Zentrum im Tiroler Oberland. Alle 5 Jahre findet dort das berühmte „Schleicherlaufen", ein alter Fasnachtsbrauch, statt. Das nächste Mal im Feber 2015.

Sehenswert im Ort und in der Umgebung

Im **Marktzentrum** schöne Häuser mit gotischen Erkern und Fassadenbemalung. – **Pfarrkirche zu den hll. Peter und Paul** wurde 1863 erbaut. – **Franziskanerkirche,** erbaut 1705, mit Hochaltarbild von Lukas Platzer, 1710. – In Schlichtling wurde die **Heilig-Geist-Kirche** vom Architekten Peter Thurner geplant und in elliptischer Form angelegt. Die Innendecke symbolisiert einen alten umgedrehten Rumpf eines Bootes. Der Altarraum ist von schlichter Ausstattung mit einem Bilderzyklus von Maurizio Bonato zum Thema des Heiligen Geistes ausgeführt. Die Kirche wurde am 26. Oktober 2002 eingeweiht. – **Maria-Hilf-Kapelle** am Birkenberg, 17. Jh., Kuppelfresken und Altar aus der Bauzeit, letzterer von Andreas Thamasch, Stiftsbildhauer aus Stams, Rokokokanzel, 18. Jh., Aufsatzbilder des linken Seitenaltares von Josef Schöpf. – **St.-Veit-Kapelle** bei Lehen, bereits 1384 geweiht und im 17. Jh. umgestaltet, lässt das Nachwirken der Gotik verspüren. Das Bild der hl. Kümmernus vom einheimischen Maler Leopold Puellacher, um 1820. – Das aus dem 17. Jh. stammende **St. Moritzen Kirchlein** neben dem Kalvarienberg. – Im **Heimatmuseum** werden u. a. Weihnachts- und Fastenkrippen, interessante Masken vom Telfer Schleicherlaufen und alte handwerkliche Textilgeräte, die zur Herstellung von Loden und Textilgeweben verwendet wurden, ausgestellt. – In Buchen in der Ropferstub'm das **Bauernmuseum,** in dem bergbäuerliche Handwerksgeräte gezeigt werden. Dazu gehörig ein Freilichtmuseum. – Ovale **Heilig-Geist-Kirche** in Telfs-Schlichtling von 2006.

Telfs

Seefelder Spitze, 2221 m

Spazierwege

Ausgangspunkt Ortszentrum Telfs: Zur Wallfahrtskirche St. Moritzen, $1/2$ Std. – Zur Kapelle St. Veit über Lehen, 45 Min.; Rückweg über Hinterberg, $1/2$ Std. – Zur Wallfahrtskapelle am Birkenberg, 1 Std.; von dort zur Arzbergklamm, $1/2$ Std. – In das Kochental über Birkenberg und zurück dem Finsterbach entlang und über Sagl nach Telfs, $2^1/2$ Std. – Nach Bairbach über Birkenberg und Brand, $1^1/2$ Std. – Zur Rauthhütte, 1605 m, über Birkenberg in das Kochental, dieses einwärts und weiter zum Katzenloch, bei dem wir links abbiegen und gemütlich zur Hütte aufsteigen, $4^1/2$ Std.

Bergtour

Auf die Hohe Munde: siehe unter Leutasch.

The KOMPASS Hiking Map 1:25 000, Sheet 026, „Seefeld in Tirol – Leutasch" covers a vast hiking area of more than 70 sq km in the Northern Calcareous Alps. Tyrol is not only a land of glaciers, firn and gnawed rock faces. The area charted by this map abounds with virgin nature, where lively mountain brooks tumble downhill through fragrant pine woods and flowered Alpine meadows.

This spacious hiking area – the Seefeld Plateau – gives the appearance of a mighty stage hovering 600 m above the Inn Valley to its south and set against a stupendous natural backdrop. To the east rise the gnawed western peaks of the Karwendelgebirge, or the Seefeld Group, not unjustly called the „Seefeld Dolomites." In the west hulks the Hohe Munde, 2,662 m, cornerstone in the long Mieming Chain. The Wetterstein Mountains, whose soaring peaks and sheer cliffs complete the scenery behind this giant natural stage, form the border between Austria and Germany. Its highest peak is the Zugspitze (2,962 m). Stretched out before this magnificent setting are the gently rolling Seefeld Plateau and the long Leutasch Valley. The Leutasch is actually an extension of the Gaistal, the valley separating the Wetterstein Mountains from the Mieming Chain. The south end of the Seefeld Plateau drops briskly to the Inn Valley, providing an extraordinary vantage point for a breath-taking panorama. The name of these mountains, Wetterstein Mountains, is evidence enough of the sudden changes in weather experienced here. The Mieming Chain takes its name from the town of Mieming (on Mieming Plateau). The name „Karwendel Mountains" was formerly considered a derivation of the „Kare" and „Wände" (cirques and cliffs) characteristic of this region. However, Professor Walde in Innsbruck traced „Karwendel" back to the Veneti, who together with the Celts once populated large expanses of the Alps in prehistory.

The touristic development of the particular mountains covered by this map started in the mid-19th century. The first larger hut in the Karwendel Mountains was erected by the postmaster of Zirl, Niederkircher, on Wiesensattel (Zirler Mähder) south of the Solstein Group in 1888. This „Solsteinhütte" was open to the public right from the start and was also leased to the Innsbruck Club Branch of the Austrian Alpine Club for a time. The Innsbruck Club Branch undertook extensive construction of hiking trails. The hut was later taken over by a private hunter und given the name Martinsberg. In 1924 it became the „Neue Magdeburger Hütte" (New Magdeburg Hut). In 1898 another hut was constructed, this time by the Nördlingen Club Branch, whose „Nördlinger Hütte" occupies a site about 20 min. below the Reither Spitze, the magnificent lookout point in the „Seefeld Dolomites." It has since been enlarged several times. The Solsteinhaus (1806 m) on Erlsattel was opened in 1914, shortly before the outbreak of World War I. It belongs to the Innsbruck Club Branch of the Austrian Alpine Club and is easily accessible from Hochzirl.

Geology

The **geology** of these three mountain chains (Wetterssteingebirge, Mieminger Kette and Karwendelgebirge) has many faces. For hikers and mountaineers it suffices to know that they are mainly of the same composition as the Karwendel, namely Wetterstein limestone and the darker Dolomite. This rock forms sheer faces and sharp ridges, ending in craggy peaks. It is brittle and demands great caution since holds break easily and rock falls are not infrequent.

Flora and Fauna

The **flora** native to the area is extremely diverse, reflecting the region's geological makeup, the diversity of altitude and climatic conditions. All through the Alpine summer one can find innumerable types of gentians, in the forests the spurge laurel, in the dwarf pines the alpine anemones, not to mention alpine roses, rose daphne, sicle wort and on the south rock faces the auricula, while edelweiss can be sought here in vain. The larches add their own particular charm to the Leutasch Valley.

The rich variety of **game** can be best observed at winter feedings. Deer can be found at lower altitudes and in higher areas it is not unusual for quiet hikers to spot larger herds of chamois. However, the only sign of the timid marmot is usually his shrill warning whistle.

On the other hand, at well climbed peaks the jackdaw will almost eat out of the climber's hand. Smaller birds of prey such as goshawks and sparrow hawks are found often; the eagle, „the king of the skies," more infrequently. The black cock and capercaillie can only be observed in the mating season by early risers with hunting experience. The sparkling clear mountain waters are rich in choice mountain fish and offer excellent opportunities for sport fishing.

As a final note, it should be remembered that in the entire area, both in Tyrol and Bavaria, it is strictly **forbidden to pick wildflowers or disturb the game.** It is in everyone's personal interest to avoid excessive noise in the woods and mountains since peace and quiet are essential to appreciation of their natural beauty.

History

The history of this region starts with that of the well built Roman road from Zirl through Seefeld to Scharnitz. In addition to Scharnitz (Scarbia) and Zirl, Seefeld too became a waystation on this Roman thoroughfare. In the Middle Ages this road was known as the „Rottstrasse". It was the lifeline of the entire region and took on the major portion of traffic to and from Italy (Augsburg – Innsbruck – Venice). The „Rott" was an alliance of middle-class wagoners, who had the exclusive right to transport goods from one depot (Rott station) to the next. The Rott stations on this map were Zirl, Seefeld and Scharnitz. The decline in trade with Italy over Brenner Pass during the **Thirty Years' War** (1618 – 1648) inevitably brought with it a drop in the prosperity of the Seefeld farmers. The purely agrarian-based economy (forestry and livestock) no longer sufficed to feed the population. Many were forced to emigrate and seek their fortune elsewhere. It was only with the romanticization of the countryside and the birth of mountaineering and modern tourism that the Seefeld Plateau and the **Leutasch Valley** became what they are today: one of the most beautiful recreation areas in the northern Alps, whose uniqueness (of nature, history and culture) has won them a leading place in world tourism. The fact that several disciplines of two Winter Olympics (1964 and 1976) and the Nordic World Championships (1985) were held here has made Seefeld and its surroundings truly world famous.

LONG-DISTANCE HIKING TRAILS

For information on all European and Austrian long-distance hiking trails contact the Alpine Association's „Weitwanderer Branch": Austrian Alpine Association, Thaliastrasse 159/3/16, 1160 Vienna, Austria, Tel. = Fax: + +43 (0)1 493 84 08 or cell phone: + +43 (0)664 2737242 • weitwanderer@sektion.alpenverein.at www.fernwege.de • www.alpenverein.at/weitwanderer

The Alpine Association has set up a network of marked long trails that are designated by a number and a name. This is intended to present destinations that were rarely visited before and to explore the great range of tourism possibilities.

For these trails special „hiking guides" have been brought out to familiarize hikers with the routes, lodgings opportunities, distances and elevations, hiking times and difficulty as well as the opening times for inns and alpine huts. Moreover, stamp stations have been introduced where the hiker can stop for a stamp to prove he hiked that particular trail. After having collected a certain number of stamps, the hiker qualifies for various hiking pins, whereby it is not important how much time was needed for each trail.

In addition to numerous regional hiking trails, Austria has **ten long-distance hiking trails** numbered 01 to 10. A numeral preceding the trail number identifies the mountains where the trail is located. In the Central Alps this numeral is odd (for example, 901), while in the Northern and Southern Calcareous Alps it is even (for example, 801). A letter following the trail number (for example, 801A) means the trail is an alternative route (Variante). Numerous national long-distance trails have been incorporated into the international European Long-Distance Hiking Trail Network.

KOMPASS Map 026 shows Northern Alpine Trail 01, which is identical with European Long-Distance Hiking Trail E 4 alpine and in Tyrol partly identical with the „Adlerweg."

Before setting out on your hike, please inquire whether the mentioned huts and towns provide lodgings. The long-distance hiking trails require alpine experience, good physical condition and good equipment.

Trail Descriptions

European Long-Distance Hiking Trail E 4 (alpine):

The E 4 currently starts in Andalusia and traverses France, Switzerland, Germany, Austria, Hungary and Bulgaria to Greece, Crete and Cyprus In Austria the E 4 branches off onto a second, alternative rugged (alpine) route through the Northern Calcareous Alps before rejoining the main trail in Burgenland. Since the E 4 (alpine) trail through the Northern Calcareous Alps was soon seen to be too difficult for hikers without alpine experience, a separate E 4 was created through the Alpine foothills of southern Germany and Austria. This „Voralpenweg 04" travels through Brengenzer Wald, Upper Allgäu, Ammergau, Schwengau, Tegernseeland and Werdenfelserland, Schlierseerland, Chiemgau, Flachgau, Salzkammergut, Höllen Mountains (Höllengebirge), the Enns Valley and Steyr Valley, Eisenwurzen, Ötscherland and the Vienna Woods (Wienerwald) to the Hungarian Gates, where it turns south to Lake Neusiedler and on to Hungary.

Northern Alpine Trail 01/01A Variante (alternative route) (201, 801, 801A):

As already mentioned under E 4, this long-distance hiking trail crosses through every Austrian state except Carinthia. It stretches from Rust on Lake Neusiedler and Perchtoldsdorf near Vienna to Schneeberg, Rax, Hochschwab, the Gesäuse Mountains (Gesäusegebirge), Tote Gebirge, the Dachstein Region, the Tennen Mountains, Hochkönig, Steinernes Meer,

Mountain biking in Gais Valley/Unterwegs im Gaistal/In rampichino nella valle Gaistal

Loferer Steinberge, Chiemgauer Alps, the Kaiser, Rofan and Karwendel Mountains, Zugspitze, Lechtal Alps, Lechquelle Mountains, Bregenzer Wald and Bregenz. The trail is approximately 1,000 km long and is part of the European Long-Distance Hiking Trail E 4 (alpine).

The trail enters KOMPASS Map 026 from the right-hand edge at Karwendelhaus (I 2), traveling through Karwendel Valley to Scharnitz and on through Sattel Valley to Leutasch/Ahrn. The main trail now turns north until it enters the steeply climbing Berglein Valley making hairpin turns until it reaches Meiler Hut. After passing Schachenhaus, the trail proceeds through the so-called Rein Valley to the Reintalanger Hut and continues to the Knorr Hut and the Sonn-Alpin-Haus on Zugspitzplatt. West of Zugspitze the Northern Alpine Trail leaves this map near the Wiener Neustädter Hut in grid A 1. The trail requires hikers to be surefooted and have no fear of heights; exposed sections of the trail are well secured with ladders, cables, cramps etc. Patches of snow sometimes require crampons.

An alternative route (801 A) runs from Leutasch/Ahrn via Obern along the Leutascher Ache (river) through Gais Valley to Gaistal- and Tillfussalm and Ehrwalder Alm, where it leaves Map 026 (A 2).

ALPINE INNS AND HUTS

All information without guarantee. Before starting your hike, please inquire in the valley whether the huts are open and accommodate overnight guests.
For telephone numbers of the major inns and huts with overnight facilities see p. 61.

Karwendel Mountains (Karwendelgebirge)

Ahrnspitzhütte, 1955 m (H 2). Owned by the Alpine Club. Emergency shelter for 4 persons, no service. Access: from Mittenwald via Riedbergscharte, 5 hrs. (medium); from Scharnitz, 2¹/₂ hrs. (easy); from Unterleutasch, 3¹/₂ hrs.; from Oberleutasch, 3 hrs.Peak: Grosse Ahrnspitze, 2196 m, 1 hr. (only for experienced climbers).

Brunnsteinhütte, 1560 m (I 1). Owned by the Alpine Club. Mailing address: 82481 Mittenwald. Open in summer. Access: from Mittenwald, 2 hrs. From the Brunnensteinhütte: to Scharnitz, 2³/₄ hrs. Peak: Brunnensteinspitze, 2180 m, 2 hrs. (intermediate).

Eppzirler Alm, 1459 m (I 3). Privately owned. Mailing address: 6108 Scharnitz. Open in summer. Access: from Scharnitz/Gießenbach, 1³/₄ hrs. From the Eppzirler Alm to: the Solsteinhaus, 2¹/₂ hrs.; the Nördlinger Hütte, 2¹/₄ hrs. Peak: Erlspitze, 2405 m, 2¹/₂ hrs. (intermediate).

Mittenwalder Hütte, 1518 m (I 1). Owned by the Alpine Club. Mailing address: 82481 Mittenwald. Open in summer. Access: from Mittenwald, 1¹/₂ hrs. From the Mittenwalder Hütte to: Brunnensteinhütte, 2 hrs.; to Dammkarhütte over Westliche Karwendelspitze, 3¹/₂ hrs. (only for experienced climbers)). Peak: Westliche Karwendelspitze, 2385 m, 2¹/₂ hrs. (only for experienced climbers)).

Nördlinger Hütte, 2239 m (H 3). Owned by the Alpine Club. Mailing address: 6103 Reith bei Seefeld. Open in summer. Access: from Reith,3 hrs.; from Seefeld, 3 hrs. From the Nördlinger Hütte to: the Solsteinhaus, 3¹/₂ hrs.; the Eppzirler Alm, 1¹/₂ hrs; the top of the Härmelekopf Cable Car by way of Reither Spitze, 1 hr. (only for experienced climbers). Peaks: Reither Spitze, 2374 m, ¹/₂ hr. (intermediate); Freiungspitzen, 2332 m and 2303 m, 1³/₄ and 2 hrs. (only for experienced climbers).

Ötzi Hütte, 1495 m (F 3). On Gschwandtkopf. Privately owned. Mailing address: 6103 Reith bei Seefeld. Open all year. Access: from Seefeld, 1¹/₂ hrs. (or chairlift); from Reith bei Seefeld, 1¹/₂ hrs. (or chairlift); easy trail from Mösern, 1 hr.

---

*Alpine Emergency Signals: Give a visual or acoustic signal **six times** per minute at regular intervals. Wait one minute. Repeat until a reply is received.*

*Reply: Visual or acoustic signal given **three times** per minute at regular intervals.*

Reitherjoch Alm, 1505 m (G 3). Privately owned. Mailing address: 6100 Seefeld in Tirol. Open in summer. Access: from Seefeld, 1¹/₂ hrs.; from Reith, 2 hrs.; from Auland, 1 hr. From the Jausenstation Reitherjoch Alm to: the Rosshütte, 1 hr.; the Nördlinger Hütte, 2 hrs.

Rosshütte, mountain station of cable railway, 1751 m (H 3). Privately owned. Mailing address: 6100 Seefeld in Tirol. Open all year. Access: from Seefeld 2 hrs. or by cable car; cable car from here to Seefelder Joch, or 1 hr. by foot (easy). Ski area. Take the Härmelekopfbahn from here, 2034 m, or 1 hr. by foot (easy). Ski area.

Solsteinhaus, 1806 m (I 4). Owned by the Alpine Club. Mailing address: 6170 Zirl. Open in summer. Access: from Hochzirl, 2¹/₂ hrs.; from Scharnitz, 4¹/₂ hrs. From the Solsteinhaus to: the Eppzirler Alm, 2 hrs.; the Neue Magdeburger Hütte via Zirler Schützensteig, 2¹/₄ hrs. (only for experienced climbers). Peaks: Grosser Solstein, 2541 m, 2¹/₄ hrs. (easy); Erlspitze, 2405 m, 1¹/₂ hrs. (only for experienced climbers).

Mieming Chain (Mieminger Kette)

Neue Alplhütte, 1504 m (B 3). Privatelely owned. Mailing address: 6410 Telfs. Open in summer. Access: from Wildermieming, 2 hrs.; from Telfs, 2¹/₂ hrs.

Rauthhütte, 1605 m (D 3). Privately-run inn at Moosalm on the east flank of the Hohe Munde. Mailing address: 6105 Leutasch. Open all year. Access: from Oberleutasch, 1¹/₂ hrs. From the Rauthhütte: Buchen, 1 hr. Peak: Hohe Munde, Ostgipfel (East Peak), 2592 m, 1¹/₂ hrs. (only for experienced climbers).

Ropferstub'm (Farming Museum), 1210 m (D 3). Private inn on the trail from Leutasch to Mösern. Mailing address: 6410 Telfs. Open all year. Access: from Buchen, 20 min. From the Ropferstub'm to: the Rauthhütte, 1¹/₄ hrs.

Strassberghaus, Inn, 1191 m (B 3). Privately owned. Mailing address: 6410 Telfs. Open all year. Access: from Telfs, 1³/₄ hrs.; from Wildermieming (Affenhausen bus stop), 1¹/₄ hrs.; by car to gate or parking area. From the Strassberghaus to: the Neue Alplhütte, 1 hr.; the Tillfussalm in the Gais Valley by way of Niedere Munde, 2059 m, 3¹/₂ hrs. Peak: Hohe Munde, 2662 m, 4¹/₂ hrs. (only for experienced climbers).

Seefeld Plateau (Seefelder Plateau)

Neuleutasch, 1217 m (F 3). Privately-run inn on the road from Seefeld to the Upper Leutasch. Mailing Address: 6105 Leutasch. Open all year.

Triendlsäge, 1125 m (FG 3). Privately-run inn on the north outskirts of Seefeld. Mailing Address: 6100 Seefeld in Tirol. Automobiles allowed to inn.

Wildmoosalm, 1314 m (F 3). Privately run. Mailing address: 6100 Seefeld in Tirol. Open all year. Access: from Seefeld, ¹/₂ hr.; from Oberleutasch, 1 hr. From the Wildmoosalm to: Mösern, 1 hr.

Wetterstein Mountains (Wettersteingebirge)

Alpenglühen-Wirtshaus, 1502 m (A 2). Privately run. Mailing Address: 6632 Ehrwald. Open all year. Access: from the Ehrwalder Alm (top of gondola cable car), ¹/₄ hr. From the Alpenglühen-Wirtshaus to: the Hochfeldernalm, ³/₄ hr.; the Tillfussalm, 2 hrs.; the Coburger Hütte, 1³/₄ hrs.

Ehrwalder Alm, 1502 m (A 2). Privately run. Mailing Address: 6632 Ehrwald. Open all year. Access: from Ehrwald, 1¹/₂ hrs. or use the gondola cable car. From the Ehrwalder Alm to: the Coburger Hütte, 2 hrs.; the Knorrhütte, 3¹/₂ hrs.

Gaistalalm, 1366 m (C 2). Privately run. Mailing address: 6105 Leutasch. Open in summer and winter. Access: from Oberleutasch, 2¹/₄ hrs. From the Gaistalalm to: the Rotmoosalm, 1¹/₂ hrs.; the Tillfussalm, 1¹/₄ hr.; the Hochfeldernalm, 1¹/₄ hrs.; the Neue Alplhütte, 3¹/₂ hrs. Peak: Hohe Munde, Westgipfel (West Peak), 2662 m, 4¹/₂ hrs. (only for experienced climbers).

Hämmermoosalm, 1417 m (CD 2). Privately run, at south foot of Teufelsgrat. Mailing address: 6105 Leutasch. Open all year. Access: from Oberleutasch, 1¹/₄ hrs; from the Tillfussalm, 1¹/₂ hrs. From the Hämmermoosalm to: the Wettersteinhütte, 1¹/₄ hrs.; the Rotmoosalm, 1¹/₂ hrs. Peak: Schönegg, 1624 m, ³/₄ hr. (easy).

Hochfeldernalm, 1732 m (A 2). Privately run. Mailing Address: 6105 Leutasch. Open in summer. Access: from Oberleutasch, 3¹/₂ hrs.; from the Ehrwalder Alm, 1 Std. From the Hochfeldernalm to: the Knorrhütte, approx. 3¹/₂ hrs.

Knorrhütte, 2051 m (B 1). Owned by the Alpine Club. Mailing Address: 82467 Garmisch-Partenkirchen. Open in summer. Access: from Garmisch-Partenkirchen through the Rein Valley, 7 hrs.; from the Erwalder Alm by way of Gatterl, 3¹/₂ hrs. From the Knorrhütte to: the Sonn-Alpin-Haus, 2 hrs; the Reintalangerhütte, 1¹/₂ hrs. Peak: Zugspitze, 2962 m, 3 hrs. (only for experienced climbers).

Meilerhütte, 2366 m (E 1). Owned by the Alpine Club. Mailing Address: 82467 Garmisch-Partenkirchen. Open in summer. Access: from Garmisch-Partenkirchen by way of Schachen, 6 hrs. (climbers must have no fear of heights on upper trail); from Unterleutasch through Bergleintal, 4¹/₂ to 5 hrs. (intermediate); from Unterleutasch by way of Söllerpass, 5 hrs. (only for experienced climbers). From the Meilerhütte to: the Oberreintalhütte, 2 hrs.; the Schachenhaus, 1 hr. Peak: Partenkirchner Dreitorspitze (Westgipfel, West Peak), 2633 m, along Hermann-von-Barth-Weg, 2¹/₂ hrs. (only for experienced climbers), good trail, otherwise only rock climbing for experienced mountaineers.

Münchner Haus, 2962 m (A 1). Owned by the Alpine Club. Mailing Address: 82467 Garmisch-Partenkirchen. Open in summer. Access: from Garmisch or Ehrwald, 8 hrs.; from the Sonn-Alpin-Haus, 1 hr. or accessible using the Zugspitz Cable Car or the gondola cable car. From the Münchner Haus to: the Knorrhütte, 2 hrs.; the Wiener-Neustädter Hütte, 2¹/₂ hrs. (only for experienced climbers).

Oberreintalhütte (Franz-Fischer-Hütte), 1532 m (D 1). Owned by the Alpine Club. Mailing address: 82467 Garmisch-Partenkirchen. No catering; beverages available in summer. Access: from Garmisch-Partenkirchen, 4 hrs. From the Oberreintalhütte to: the Schachenhaus, 1¼ hrs.; the Meilerhütte, 3 hrs.; the Reintalangerhütte, 2½ hrs. Peak: rock climbing.

Reintalangerhütte (Angerhütte), 1369 m (B 1). Owned by the Alpine Club. Mailing Address: 82441 Ohlstadt. Open in summer. Access: from Garmisch-Partenkirchen, 5 hrs. From the Reintalangerhütte to the Knorrhütte, 2 hrs.; the Oberreintalhütte, 3 hrs. Peak: Hochwanner, 2744 m, 5 hrs. (only for experienced climbers).

Rotmoosalm, 1904 m (C 2). Privately run. Mailing address: 6105 Leutasch. Open in summer. Access: from Oberleutasch, 3½ hrs.; from the Gaistalalm, 1½ hrs. From the Rotmoosalm to the Hämmermoosalm, 1 hr.; the Wettersteinhütte, 2 hrs.; the Ehrwalder Alm, 2½ hrs. Peaks: Schönberg, 2142 m, ¾ hr. (easy); Predigtstein, 2234 m, ¾ hr. (intermediate).

Schachenhaus, 1866 m (E 1). Privately run. Mailing Address: 82467 Garmisch-Partenkirchen. Open in summer. Access: from Garmisch-Partenkirchen, 4½ hrs. From the Schachenhaus to the Meilerhütte, 1½ hrs.; the Oberreintalhütte, 1¼ hrs. Peaks: Teufelsgsass, 1942 m, ¼ hr.; Schachentorkopf, 1957 m, ½ hr.

Schüsselkarbiwak (emergency shelter), 2536 m (E 1). Owned by the Alpine Club. Open all year. Bunkhouse for 6 persons. Access: from the Oberreintalhütte in demanding rock climbing terrain (III), 6 hrs. Peak: rock climbing.

Sonn-Alpin-Haus, 2576 m (A 1). Privately run. Mailing Address: 82467 Garmisch-Partenkirchen. Open in summer. Access: from the Knorrhütte, 2 hrs.; from Garmisch-Partenkirchen by cog-wheel railway with a few minutes' walk. From the Sonn-Alpin-Haus to: the Münchner Haus, 1 hr. Peaks: Zugspitze, 2962 m, 1 hr. (medium); Schneefernerkopf, 2874 m, 1 hr. (medium).

Tillfussalm, 1382 m (B 2). Privately run. Mailing Address: 6105 Leutasch. Open in summer. Access: from Oberleutasch/Gasthaus Gaistal, 2¼ hrs.; from the Ehrwalder Alm, 2 hrs. From the Tillfussalm to the Knorrhütte, approx. 3½ hrs.; the Strassberghaus or the Neue Alplhütte by way of Niedere-Munde-Sattel, approx. 3½ hrs.; the Wettersteinhütte via Rotmoosalm, 3 hrs. Peak: Hohe Munde, 2662 m, 4½ hrs. (only for experienced climbers).

Wangalm, 1753 m (D 2). Privately run. Mailing address: 6105 Leutasch. Open in summer. Access: from Oberleutasch/Klamm, 2 hrs. From the Wangalm to the Hämmermoosalm, 1 hr.; the Rotmoosalm, 2½ hrs. Peak: Gehrenspitze, 2367 m, 2¾ hrs. (easy).

Wettersteinhütte, 1717 m (D 2). Privately run. Mailing address: 6105 Leutasch. Open all year. Access: from Oberleutasch/Klamm, 1½ hrs. From the Wettersteinhütte to: the Hämmermoosalm, 1 hr.; the Tillfussalm via Rotmoosalm, 2½ hrs. Peak: Gehrenspitze, 2367 m, 3 hrs. (easy).

Wiener-Neustädter-Hütte, 2209 m (A 1). Owned by the Austrian Touring Club. Mailing Address: 6632 Ehrwald. Open in summer. Access: from Ehrwald, 3½ hrs.; from Pylon 4 of the Austrian Zugspitz Cable Car, ½ hr. From the Wiener-Neustädter-Hütte to the Münchner Haus, 3 hrs. (only for experienced climbers). Peak: Zugspitze, 2962 m, approx. 3 hrs. (only for experienced climbers).

Towns:

For telephone and telefax numbers of tourist offices and town halls see p. 61.

LEUTASCH

Township, Greater Innsbruck County. Population: 1985. Elevation: 1136 m – 1166 m. Postal Code: 6105. **Information:** Leutasch Tourist Office/Infobüro. **Railroad Stations:** Seefeld (8 km) and Mittenwald (11 km). Bus service to Mittenwald, Seefeld, Reith, Scharnitz, Mösern/Buchen and Telfs. **Lifts:** chairlifts and towlifts.

The town of Leutasch with its many hamlets is scattered throughout the 16-km-long Leutasch Valley. The town hall is located in the part of town known as „Kirchplatzl." The Leutascher Ache (river), whose headspring is at Gaistalsattel near Ehrwald, flows first through the Gais Valley, then the Leutasch Valley and the Leutasch Spirit Gorge before it flows into the Isar River just outside Mittenwald (see KOMPASS Map 26, „Karwendelgebirge"). The Leutasch Valley is easily accessible from Mittenwald, Scharnitz, Seefeld and Telfs by road and numerous trails. The valley is divided into two parts, the Upper Leutasch and the Lower Leutasch. There are no specific towns here; the Leutasch is spotted with individual hamlets, often a good distance from one another. There are also no mountain farms here, the way they nestle high up along the walls of many other Tyrolean valleys. Most of the Leutasch's residents live grouped along the valley's larger roads, for example Moos, Obern, Klamm and Platzl are scattered along the base of the Hohe Munde and the mouth of the Gaistal, while Unterweidach and Oberweidach are at the junction of the road from Seefeld and Gasse at the intersection with the road to Mittenwald.

From Seefeld the road climbs slowly, making its way through dense pine woods, the so-called Kellenwald, until it emerges onto Alpine meadows in about half an hour. This is the first vantage point for a good look at the high, tree-covered crowns of the Hochmähder

(Simmlberg) and the Eibenwald, framed by the peaks of the „Seefeld Dolomites" in the background. A little further is the broad massif formed by the Grosse Ahrnspitze with its series of smaller peaks up front, then the Ahrnplattenspitze and the Weißlehnkopf. To the north there is a captivating view of the crest of the mighty Wetterstein Ridge. This majestic stone wall stretches from the Hochwanner to the Musterstein. In the west – cut off by the deep-running Gaistal – the view abruptly ends in the broad-backed Hohe Munde. Threading its way through these mighty mountains, caressed by thick alpine woods, is the long Leutasch Valley. Far to

Bergstation bei der Rosshütte, 1751 m
Cable car station at the Rosshütte, 1751 m
Stazione a monte presso il Rif. Rosshütte, 1751 m

the south beckon the mountains of the Inn Valley. The Leutasch may be poor in farmland but it is rich in meadows and forests. The valley's residents earn their living from tourism, timber and livestock and enjoy hunting. The houses are despite the abundance of local timber usually of stone. The farmhouses' only form of decoration is painting. Sayings painted on the façade are a common sight, such as this one from the Lower Leutasch:

> „He who speaks ill of me /shall not enter unto this house /
> For each need take sufficient care /or be himself a louse."

History

It is uncertain whether the Leutasch was already settled in Roman times. In any case, the names of the towns are not Roman. Most likely, settlers migrated here from Bavaria. In the 11th or 12th century, the nobles of Weilheim, an old Welf dynasty, acquired properties in the Leutasch. In 1178 part was donated to the Augustinian Abbey in Polling (Bavaria), that originally sent its own preacher to the Leutasch to administer to the spiritual needs of the valley's people. Secular priests were only dispatched in the 17th century. However, the people of the Leutasch do not always seem to have merited the satisfaction of their spiritual counselors. The pastor of Telfs in 1777, Franz von Buol, reported that „the people of Leutasch have brazen and wild customs; most are given to poaching and superstition. They also give little and, in some cases, erroneous attention to religious doctrine". Up until the 13th century, the whole Leutasch Valley belonged to Werdenfelser Land (Garmisch). Thereafter, the sovereigns of the Tyrol were able to win the upper hand in protracted disputes and extended their border to the Leutasch Gorge. The Leutasch remained a quiet valley for a long time, although it was not spared in times of war. In the 13th century there were fortifications on the „Halsl," the passage from the Lower Leutasch to Mittenwald. When „Porta Claudia" was erected at Scharnitz during the Thirty Years' War (1618 – 1648), the Leutasch Valley was outfitted with entrenchments as outworks. In 1805 the French, assisted by a traitor, bypassed these entrenchments on the „Franzosensteig" (French Trail). The present road through the Leutasch was constructed in 1913.

Attractions in the Leutasch and its Surroundings

The Baroque high altar in the Parish Church of **St. Maria Magdalena** built in the Upper Leutasch in 1820, was once part of the Benediktbeuren Monastery Church. – The **The Parish Church of St. John the Baptist** in Unterleutasch was constructed between 1827 and 1831. – The small **plague chapel** in Weidach was erected in 1637 to commemorate the plague of 1634. – The **Ganghofer-Museum** in Kirchplatzl. – **Weidachsee** (lake) is a favorite place for outings.

Leutasch and/und/e Hohe Munde, 2962 m

Walks

From the Upper Leutasch to Seefeld along various trails of different lengths. – Through the Gaistal to Ehrwalder Alm, 1502 m, 5 – 6 hrs. – Circular walk: Leutasch – Mösern – Seefeld – Leutasch, approx. 22 km, 5 – 6½ hrs. Starting from Platzl, walk past the Alpenhotel Karwendel (inn) to Ostbachbrücke (bridge), then along Mooser Weg to Moos and take the lovely forest trail to Buchen. From there, proceed to the Gasthaus Ropferstub'm (Farming Museum, inn) and further on the „Pirschtsteig" (Stalking Path) runs to Möserer See (lake) in Mösern. The trail (good view) then continues through Möserer Mähder directly to Seefeld. Return to the starting point by following the road (Landesstrasse). – Through the Leutasch Spirit Gorge, about 1 ½ hours, starting point: Parking lot in front of the Geisterklamm Schanz.

Hikes

To the Meilerhütte, 2366 m, through Bergleintal. Bergleintal (valley) is reached from Leutasch/Lehner through Puitbacher Wald (forest). Go downhill to Bergleinboden with a view of the gorge. The trail keeps to the orographic right bank of the stream, up to a talus slope high above the gorge. On the left is the deep, wide, dry gorge. Then over turf and rock debris below the south cliffs of the Törlspitzen and the Musterstein. Hermann-von-Barth-Weg arrives from the left and goes on to the Partenkirchner Dreitorspitze. The trail now winds its way up to the Meilerhütte that can be seen in the distance. Uphill 4 – 4¼ hrs., downhill about 3½ hrs. (only for experienced climbers). – To the Meilerhütte, 2366 m, through Puittal (valley). The ascent to the Puitbach bridge (¼ hr.) starts in Lehner and runs along the orographic left bank, crosses a bed of rock debris under Ofelekopf, after which there is a fork. At 1589 m elevation turn right through the larches toward Söllerpass, 2211 m, in the north, that is reached after a steep climb over grass and rock and after crossing a steep gully (Steinmann with large colored patches). Söllerpass is on the west above the deepest depression. From there, make a wide curve across the rolling Leutascher Platt where you meet up with the trail from Bergleintal at the bottom of the ascent to the Meilerhütte. The trail winds its way up to the hut, 5 hrs. (only for experienced climbers). – To Partenkirchner Dreitorspitze, Westgipfel (West Peak), 2633 m. All other peaks only for rock climbers! Hermann-von-Barth route, well secured trail, only for experienced climbers or with guide. Hermann-von-Barth-Weg turns off to the right (west) from the trail to Bergleintal just under the Dreitorspitzgatterl (memorial to Hermann von Barth). The trail leads through the sheer slabs of the east face of the northeast peak almost horizontally onto the Plattach toward the huge gravel field below the rock faces. This is crossed in two hairpin turns. At a large boulder (very obvious sign) turn toward the rocks. The drops in the massif are broken by a rocky spur cropping out in the fall line of the Mittelgipfel. The trail runs against this spur. The trail surmounts steep cliffs and platy gullies (cables spanned and holds) until it turns almost horizontally left (west) about 60 m to 80 m under the Mittelgipfel. The peak is easily reached over a section of the trail that is less steep, followed by tight curves over a slope covered with large coarse debris, 2½ hrs. – To Gehrenspitze, 2367 m. Leave the Wettersteinhütte, 1717 m, and make the easy ascent along the Klammbach, turning sharply southeast at the top to reach Scharnitzjoch, 2048 m, 1 hr. From Scharnitzjoch follow the green ridge running southeast, along a trail that is easily visible in some places. Where the rocks start, cross below them to the south, past a yellow cliff and up to the East Peak (Ostgipfel). From Scharnitzjoch, 1½ hrs. (easy, but the ridge is only for those with no fear of heights). The nearby Wetterstein Chain is especially impressive. To the south are the Seefeld Plateau and the Seefeld Group with the Hohe Munde on the right. – To Hohe Munde: Ostgipfel, 2592 m, Westgipfel 2662 m. From the Rauthhütte, 1605 m (from Oberleutasch, 1½ hrs.) go through a grassy hollow and climb (Hüttenrinner) to elevation 2092 m. Then cross rock debris on a good climbing trail up to the Ostgipfel (East Peak), approx. 2½ – 3 hrs. (only for experienced climbers). – Crossing to the Westgipfel only for experienced climbers. From there, descend by way of the Niedere Munde to the Strassberghaus, 1191 m, and then on to Telfs.

MÖSERN   E 4

Hamlet in Telfs Township, Greater Innsbruck County. Population: 300. Elevation: 1245 m, Postal Code: 6100. **Information:** Mösern-Buchen Tourist Office/Infobüro. **Railroad Stations:** Seefeld in Tirol (Karwendel Railway Line), 2,5 km, and Telfs (Arlberg Railway Line), 4,5 km. Bus service to Seefeld, Leutasch, Reith, Scharnitz, Mittenwald and Telfs.

Mösern lies on the southwest brink of the Seefeld Plateau in the midst of magnificent mountain surroundings. It rightfully deserves its name as „Tyrol's swallow nest," perched as it is on the edge of the plateau looking 600 m deep into the far-reaching Inn Valley. The spacious Seefeld Plateau with almost 70 sq km is ideal for hikes without strenuous climbs and for cross-country skiing.

Attractions in Mösern
The Baroque **Church of the Visitation** (Kirche Mariä Heimsuchung), renovated and enlarged in 1763. The frescoes and altar date from the year 1772. – **Gföllkapelle** (chapel) built in 1968. – **Möserer See** (lake), a popular place for outings. – **ARGE-ALP Peace Bell** (rings daily at 5 pm).

Walks
To Möserer See (lake), ¼ hr. – To Gschwandtkopf, 1495 m, ¾ hr. – To Wildmoosalm, 1314 m, by way of Brunschkopf, 1510 m, 1¾ hrs. – To Auland near Reith bei Seefeld, 1¾ hrs. – To Peace Bell 1½ hrs. from parking lot at Seewaldalm, 7 stations (easy).

Hikes
Up to the Hohe Munde via Lottensee (lake) and Buchen (ascent at Katzenloch) to the Rauthhütte, 1605 m, 3½ hrs (easy). From there cross a grassy hollow, then climb (Hüttenrinner) to 2092 m elevation. Now cross rock debris on a good climbing trail up to the Ostgipfel (East Peak), 2592 m, approx. 3 hrs. (only for experienced climbers). The passage to the Westgipfel (West Peak), 2662 m, is only recommended for good climbers.

PETTNAU   EF 4

Township, Greater Innsbruck County. Population: 970. Elevation: 610 m, Postal Code: 6410. **Information:** Tirol-Mitte Tourist Office. **Railroad Station:** Hatting (1 – 3.5 km). Bus service to Innsbruck and Telfs.

The township consists of hamlets and villages scattered along the federal highway at the foot of the steep cliffs of the Seefelder Senke. The name „Pettnau" is probably derived from the words „Au" and „Pette" („meadow" and „ferry"), because a ferry is said to have existed here on the Inn as far back as Roman times. In the Middle Ages salt and commercial goods were ferried across the river at Pettnau.

ARGE-ALP Peace Bell/Friedensglocke/Campana della Pace

Attractions in Pettnau and its Surroundings

The **Parish Church of St. George** on a hill looking far out into the Inn Valley is without a doubt one of the best known photo motifs in North Tyrol. The church structure is late Gothic, but was expanded and adapted in the Baroque period. Frescoes from the 15th century on the north outside wall and inside the church. The stuccowork and pulpit date from 1720. – The **Church of Sts. Barbara and Christopher** in Oberpettnau, first documented in 1412, was enlarged in the mid-17th century and baroqued in the mid-18th century. Ceiling paintings and altar painting by J. A. Zoller, 1774. – Lovely Baroque facades with paintings or stuccowork can be seen at the **town hall**, **Ansitz Sternbach** and **Gasthof Mellaunerhof** (inn), with late Gothic arches inside.

Walks

From Oberpettnau to Mösern, ca. 2 hrs. – From Leiblfing to Reith bei Seefeld, ca. 2 hrs. Continue via Auland to Mösern, 1^{1}/$_{4}$ hrs.

REITH BEI SEEFELD   G 4

Township, Greater Innsbruck County. Population: 1100. Elevation: 1130 m. Postal Code: 6103. **Information**: Reith bei Seefeld Tourist Office/Infobüro. **Railroad Station**: Reith bei Seefeld, train connections to Innsbruck, Mittenwald, Garmisch-Partenkirchen and Munich. Bus connections to Seefeld, Leutasch, Mösern/Buchen, Schwarnitz, Mittenwald and Telfs. **Lifts**: access to the ski-regions Rosshütte/Härmelkopf and Gschwandtkopflifte.

Reith lies high above the Inn Valley on the old road from Seefeld to Innsbruck, just before Zirler Berg. The town gives its name to the Reither Spitze (2374 m), an excellent lookout peak. Reith's proximity to Seefeld has given it a very special role with regard to tourism. Numerous walking and hiking trails crisscross the entire Seefeld Plateau, some of which descend to the Inn Valley.

Attractions in Reith bei Seefeld and its Surroundings

The Neo-Romanesque **Parish Church of St. Nicholas,** that was severely damaged in 1945. Johannes Obleitner, local painter and sculptor, helped with restoration; his works include the church doors, window, pietà at the organ loft and the decoration in the mortuary chapel. – At Gurglbach the „Frau Häusl" chapel, built by Martin and Josef Seelos. – In Auland

Reither Spitze, 2374 m

the **Mariahilfkapelle** (chapel) from the 19th century. – In Leithen the **Chapel of St. Magnus.** – **Plague columns** from the 17th century in Auland and Leithen. – In Leithen the so-called „Riesenhaus" (Giants' House) fresco (1537) portraying the battle between Haymon and Thrysus that is said to have taken place here. – In the Maximilianshütte is the **Ichthyolwerk,** where various curative products are manufactured. – A large **Roman milestone** was found on Gurglbach, the brook flowing through town.

Walks

To Leiblfing in the Inn Valley, charming photo motif, 1¹/₂ hrs. – To Dirschenbach in the Inn Valley, 1 hr. – To Seefeld in Tirol, lovely trails, ³/₄ hr. – From the Kneippanlage St. Florian in Reith starts a nature trail about bees with 10 stations. At the end of the trail is the first "bee hotel" in Austria! – To Hochzirl through the Schlossbachschlucht (gorge), 1¹/₂ hrs. – To Kaiserstand, 1440 m, 1¹/₄ hrs. (easy). Take the old federal road until you turn left shortly after crossing the Gurglbach bridge, where the trail to Kaiserstand starts its gentle ascent. Climb this trail, continuing east to the observation point. Panorama view of valley below. – To the Reitherjoch Alm, 1,505 m, a favorite outing for hikers and mountainbikers (easy), approx. ³/₄ hr. Tobogganing in winter. Cross-country ski tracks to Auland, 5 km, with connections to all other cross-country ski tracks on the Wildmoos – Leutasch Plateau.

Hikes

To Hochleithenkopf, 1276 m, by way of Mühlberg, ³/₄ hr. – To Gschwandtkopf, 1495 m, 1 hr. (easy) or chairlift. – Up to Reither Spitze, 2374 m, about 4 hrs. (to the Nördlinger Hütte, easy; to peak, intermediate). Take the marked trail northeast out of town, crossing meadows into the woods. Go through the woods on the slope of the Rauhenkopf (Durstkopf) up to the ridge between Rauhenkopf and Schoasgrat and further on to the Schartlehnerhaus, 1856 m. On the west side of the crest, continue on past a spring, then cross over the crest to the Nördlinger Hütte, 2239 m. The trail reaches Reither Spitze in about 20 min. Reither Spitze is a famous lookout peak: Seefeld Plateau, Karwendel, Wetterstein Mountains, Hohe Munde; Stubai and Ötztal glaciers to the south. – To Eppzirler Alm, 1459 m, by way of Ursprungsattel, 2096 m: see Seefeld. Full hike from Reith to Gießenbach Railroad Station (for hikers with stamina), 8¹/₂ hrs.

SCHARNITZ   I 2

Township, Greater Innsbruck County. Population: 1470. Elevation: 964 m. Postal Code: 6108. **Information**: Scharnitz Tourist Office/Infobüro. **Railroad Station:** Scharnitz, train connections to Seefeld, Reith, Innsbruck, Mittenwald, Garmisch-Partenkirchen and Munich. Bus connections to Seefeld, Reith, Leutasch, Mösern/Buchen, Telfs and Mittenwald.

Ruins of/Reste der/Resti della Porta Claudia

Now a popular tourist resort, Scharnitz is located near the border between Bavaria and Tyrol, where the Gießenbach joins the Isar. Scharnitz is also known as gate to the Karwendel and therefore starting point for many hikes into the Karwendel Valleys .

History

In the 5th century BC this area was already the site of a major traffic artery, whose importance grew still more under the Romans. Near Klais (on the Bavarian side of today's border) was the Roman waystation Scarbia, whose name lives on in the form of „Scharnitz." The town's history is inseparable from its geographic location. Just north of Scharnitz is the narrowest point between the Wetterstein and Karwendel mountains. In the 14th century a settlement was founded at the bridge across the Isar, for which large portions of the forest were cleared. Lucrative mines brought many people to the area. During the Thirty Years' War (1618 – 1648), Innsbruck acquired land here from Freising Monastery to build a fortress. It was erected from 1632 to 1634 under Archduchess Claudia von Medici and was named after her. Although it was not destroyed during the Thirty Years' War, it was captured by the enemy in the 18th century during the war with Bavaria. Under Maria Theresia it was restored and enlarged. The national border was finally set here in 1766.

Attractions in Scharnitz and Surroundings

Mariahilfkirche (church) dates from 1896, furnishings from 1955. – **Birzelkapelle** (chapel) built in 1965. At the head of the Karwendel Valley, the baroque Chapel of St. Wendelin. – The **ruins of Porta Claudia.** – Located in the Tourist Office at the Isar Bridge is the **Scharnitz Visitors Center** with an information board on the Karwendel Alpine Park Nature Preserve. The most important exhibit at the visitors center is the 8,000-year-old skeleton of an elk, which was found in Vorderkar Cave on Pleisen in 1951 by Toni Gaugg, operator of Pleisen Hut. The visitors center also contains exhibits on geology and alpine farming, important minerals and historic facts concerning the town and the Karwendel Mountains.

Walks

To Birzelkapelle (chapel), 1128 m: start from the bridge over the Isar and go by way of Platt, 3/4 hr. – To Gießenbach taking Stuckweg along the Karwendel Railroad, 1 hr. – To Gießenbach along the brook by the same name, 1 hr. – To Gießenbach by way of Rossboden, Mühlberg and north of Marendköpfl, 2 hrs. – To the ruins of Porta Claudia by way of Kalvarienberg (Mount Calvary), 45 min. – Circular Walk: from Scharnitz along Hinterautalstrasse to Karwendelstrasse, which is followed around Brantlegg, north to Birzelkapelle (chapel), 1128 m. Return to Scharnitz by way of Platt, 3 hrs. – To Leutasch: First follow Gießenbach, then branch off to the right along trail No. 18 (Sattelstiege) to Hoher Sattel, 1495 m, and continue through Satteltal (valley) to Oberleutasch, 3 – 3¹/₂ hrs. – To Seefeld: First take Stuckweg to Gießenbach and then follow Hirnweg to Seefeld, 3 hrs. – To the Jausenstation Oberbrunnalm (snacks), 1523 m: Take the easy trail No. 30, approx. 4 hrs.

Hikes

Grosse Ahrnspitze, 2196 m. First go to the ruins of Porta Claudia (25 min.). The border to Bavaria is crossed on trail No. 21 after about 1¹/₂ hrs. and the Ahrnspitzhütte in Bayerisches Kar is reached after a total of 3¹/₄ hrs. (easy, emergency shelter, nature preserve). Ascent to summit of the Grosse Ahrnspitze, 1 hr. (only for experienced climbers). Panorama of the Wetterstein Mountains and Karwendel Mountains. – To Brunnensteinspitze, 2180 m, 5 hrs. Take the footpath that goes from the Isar bridge to the Karwendelhaus and turn left after a few minutes onto an easy trail to Adlerkanzel. A trail climbs sharply from here to Brunnensteinkopf, 1924 m. Follow the ridge over moderately rising rock cliffs to a step, bald rock fan, the last outcropping ridge before Brunnensteinspitze. Bypass it to the right and climb over rock debris and turf back to the ridge, from where the trail continues without difficulty to the peak. – Passage to the neighboring Rotwandlspitze, 2191 m, and further on to the Tiroler Hütte, 2153 m, is easy and takes barely ¹/₂ hr. – To Eppzirler Alm, 1459 m, through Gießenbachtal, 1³/₄ hrs. (easy). (From Scharnitz to the beginning of Gießenbachtal, 1 hr.). A visit to Gießenbachtal (valley) surrounded by the Seefeld Dolomites is an outing absolutely worthwhile in itself. No sooner do you cross the tracks near the railway station in Gießenbach than you're already in the middle of the narrow Gießenbach Gorge. The well laid-out trail crosses the stream seven times, passing boulders until it arrives at a fork in the valley. (The left trail goes to Oberbrunnalm/snacks.) Making the climb to the right, the trail passes a spring, and, shortly thereafter, reaches Eppzirler Alm. – Over Eppzirler Scharte, 2103 m, to the Solsteinhaus, 1806 m, on Erlsattel, from Eppzirler Alm, 2¹/₂ hrs. (intermediate). From Eppzirler Alm to the foot of the giant talus slope that stretches north from Eppzirler Scharte. Work your way up the tedious trail to the narrow notch. To the east is Erlspitze; to the west the front peaks of the Kuhlochspitze. Climbing down to the south through a channel of debris, a small trail is reached that leads east across the talus slopes and finally through pastures to Solsteinhaus in ¹/₂ hr. The trail to the railway station at Hochzirl takes another 2 hrs.

SEEFELD IN TIROL

Township, Greater Innsbruck County. Population: 3150. Elevation: 1180 m. Postal Code: 6100. **Information**: Seefeld in Tirol Tourist Office/Infobüro. **Railroad Station**: Seefeld in Tirol (train service to Reith, Scharnitz, Innsbruck, Mittenwald, Garmisch-Partenkirchen and Munich). Bus connection to Leutasch, Mösern/Buchen, Reith, Scharnitz, Mittenwald and Telfs. **Lifts**: Rosshütte Cable Railway; Seefelder Joch Cable Car; Härmelekopf Cable Car, various chairlifts and towlifts. Ski-area: Gschwandtkopf with chairlifts and T-bar lifts.

Seefeld in Tirol is so unique in location that no other town for miles around can match it. The elevation (1200 m) and the spaciousness of the Seefeld Plateau guarantee a truly relaxing and enjoyable stay. Situated at the heart of an Alpine panorama that is a dream come true for any mountain climber, Seefeld also offers everything a resort guest or hiker could desire. The town's Olympic sport facilities, that served Seefeld so well during the 1964 and 1976 Winter Olympics and the 1985 Nordic World Championships, are now enjoyed by its visitors as an added attraction. Since 2002 Seefeld is venue of the annual Nordic combined Worldcup. Furthermore, there is a remarkable number of restaurants, recreational facilities, cable cars and a huge network of well groomed walking and hiking trails (150 km), that can be followed at random until they even become all-day hikes crisscrossing the expansive tableland. You also find a „Running and Nordic Walking Arena" (266km). Hospitality beckons a warm welcome at every turn, setting just the right note for each and every guest. Dense Alpine forests intermingled with sparse larch groves and wide grasslands embrace close to 70 sq km; nearby mountains summon you to their lofty heights, while beautiful Alpine meadows are the perfect opportunity for leaving your cares and woes behind you. And once the winter hangs its white cloak over hillside and mountain, the thrills of cross-country and downhill skiing reawaken in every sportsman's heart. Both of these – summer hiking and winter skiing – have made Seefeld a first-class resort and sports center. – For its quieter guests Seefeld has created a pedestrian zone, where pleasant strolls can be en-

Wildsee

joyed through the center of this charming Olympic village, and where some 80 shops and various restaurants and outdoor cafés offer something for everyone.

The visitors who flock to Seefeld at the rate of more than one million overnight guests per year primarily consist of German, Swiss and Italian guests although the Dutch, British, Americans, Belgians and French also add to the town's international character. Some of Seefeld's more popular attractions include the 18-hole championship golf course, the golf academy and the casino.

Seefeld can be reached by three routes. From the north (from Germany) there is the excellent Federal Highway 177 past Mittenwald/ Scharnitz to Seefeld. The Karwendel Railway Line (Garmisch/Partenkirchen – Scharnitz – Seefeld – Innsbruck) also serves the same route. From the south, Federal Highway 177 climbs (16% slope) from the Inn Valley up over Zirler Berg to the Seefeld Plateau. The Karwendel Railway Line runs to Seefeld from Innsbruck, through numerous tunnels and beautiful countryside. For those who come to Seefeld from the west, there is a turnoff in the town of Telfs (Inn Valley) for the good road to Seefeld via Mösern. The nearest airport is in Innsbruck (21 km).

History

This charming Tyrolean town looks back on a rich history. Running past Seefeld is the Via Claudia Augusta, the Roman road that carried traffic from Italy through Rhaetia to Augsburg. Seefeld's name is taken from the two lakes, of which only the eastern one (Wildsee) still exists, while the larer lake to the west, artificially formed by Archduke Siegmund, is now dry. The little church on the lake (Seekirchl) previously stood on an island in this lake. Unfortunately, Seefeld did not always enjoy peaceful times: the wars of the 18th and 19th centuries did not fail to leave their mark. In 1703, 1805 and 1809 French and Bavarian troops were quartered here. The worst year of all was 1809, when some French stragglers from General Beaumont's troop started a fire that claimed half the town (almost 14 buildings). In 1516 construction was begun on a convent next to the church that was destined for the Augustinian nuns from Halltal. Since the nuns never moved to the convent, whose main walls already reached to the roof, the structure remained uncompleted through the 16th century. It was only under Archduke Maximilian, as the Augustinian Hermits came to Seefeld and took over the parish and the convent, that construction of the convent was resumed in 1604. However, the monks did not get to enjoy their monastery very long, since it was dissolved in 1785 under Emperor Joseph II. In 1805 the monastery property in Seefeld along with the monastery building and its brewery were sold to the postmaster Anton Hörting and the butcher Nikolaus Sailer in Seefeld for the price of 20,300 guilders (now Hotel Klosterbräu).

Attractions in Seefeld and its Surroundings

The **Parish Church of St. Oswald**, erected 1423 – 1474, enlarged 1604, late Gothic staggered structure under uniform roof; richly segmented main portal with magnificent carved stone coat of arms, inside net vault with beautiful keystones, frescoes in the triumphal arch and the choir, 15th century; depicted outside on the tower are St. Christopher and two monks, 1617; interior, neo-Gothic high altar partially with old, Gothic carved statues from the 15th and 16th centuries; panel painting (Altar Miracle of Seefeld) in the choir by Jörg Kölderer, 1502; to the right, a late Gothic side altar with late Gothic crucifix; on the wall, „Miracle of Pentecost" relief, early 16th century; Gothic baptismal font, Gothic pulpit, 1525;

the Chapel of the Sacred Blood can be reached by means of a marble staircase from the side aisle of the church and was constructed in 1574 by Alberto Lucchese, court architect to Archduke Ferdinand II; Baroque painted stuccowork, 1724; ceiling paintings by J. Puellacher, 1772, who also did the murals in the halls of the adjacent former Augustinian monastery, founded 1516, today a hotel. – **Seekirchl** (little church on the lake), founded 1628 by Archduke Leopold V as a repository for the miraculous cross; dome frescoes by Hans Schor, frescoes at the choir pillars and side altar paintings by J. Puellacher.

Walks

Around Wildsee (lake), „Kaiser-MaximilianWeg", 1/2 hr.; from the south end of the lake to Auland, 20 min. – Seefelder Kreuzweg, 20 min., starts at the Church. – Up to Gschwandtkopf, 1495 m, on the right and left of the lifts there are good trails to the hut and the peak, 1 1/4 hrs. – Descent from Gschwandtkopf along Route 85 to Mösern, 1 hr., or to Auland, 1 hr. – To Mösern along Route 2 via Möserer Mähder, and further to Möserer See (lake), 1 hr. – To Mösern along trails No. 2 and 60, south of Möserer Höhe, 1 1/2 hrs. – To Wildmoosalm, 1314 m, by way of Hörmannweg, 1 hr., beginning somewhat steep. – From Wildmoosalm via Steckenweg to Weidach (Leutasch), 2 hrs. Turn left from Fludertal and follow the nice trail through Schlagwald (forest). – From Wildmoosalm via Blattsteig to Mösern, 1 hr. – To Triendlsäge (snacks), 1125 m, approx. 1/2 hr. – To Bodenalm (snacks), 1048 m, along the Seebach, 3/4 hr. – Roman road (Römerweg) to ruins of Milser Castle and Schlossberg, 1/2 hr. – From the Milser ruins along Hirnweg to Gießenbach (Karwendel Railway Line), 2 1/2 hrs. – To Leutasch (Weidach), by way of Neuleutasch, 1 1/2 hrs. – To Reith bei Seefeld by way of Auland, 1 hr. – Up to Rosshütte, 1751 m, with the cable railway and walk down through Hermannstal, 1 1/4 hr. – To the Gasthof Neuleutasch (inn), 1217 m, and on to Wildmoosalm, 1314 m, through Kellental (valley), 1 1/2 hrs. – To Reitherjoch Alm (snacks), 1505 m, via Knappenboden, 1 1/4 hrs.; easier but longer through Hermannstal, making a wide curve through Krinzwald (forest). – To Eppzirler Alm, 1459 m, by way of Schlagsattel, 1480 m, 3 hrs. (easy). At Schlossberg, north of Seefeld, take Schlagsteig across Oberlehnkamm (crest), through Strafwald (forest) to Schlagsattel. From there go down through Schönwald (forest) into Eppzirler Tal (valley) and follow it to Eppzirler Alm.

Hikes

To top station of Härmelekopf Cable Car, 2034 m, by way of Reitherjoch Alm, 1505 m, and Hochanger, 2 hrs. (easy). – To Reither Spitze, 2374 m. Turn left off the old federal highway

at kilometer 8.2 onto the marked trail to the Maximilianshütte (Ichtyol plant: the Seefeld Group is rich in bituminous slates – much petrifaction, ichtyol extraction). Before reaching the plant, turn left at the trail sign and take the marked trail to the Reitherjoch Alm, 1505 m. From there go south, then east past a spring, up a steep gully and finally zigzag up to the long visible Nördlinger Hütte, 2239 m, 3¹/₂ hrs. (easy). (Last water source at the edge of the woods!). To the peak of Reither Spitze approx. 20 min. more (intermediate). Reither Spitze is famous for Its view of the Seefeld Plateau. View: Wetterstein Mountains with Zugspitze to the north, Karwendel to the east, Kühtaier Vorberge, Kalkkögel with Axamer Lizum, the full range of the Stubai and Ötztal glaciers to the south. – From the Nördlinger Hütte over Ursprungsattel, 2096 m, into Eppzirler Tal (valley) and to the Gießenbach Railroad Station, 4¹/₂ hrs. (intermediate). Approx. 60- to 80-m descent from the east side of the hut. The east flank is traversed on a narrow path; pass below the Ursprungstürme and reach the broad Ursprungsattel in 20 min. Climb down to the north through Wimmertal and reach Eppzirler Tal (valley) below Eppzirler Alm in about ¹/₄ hr. A direct descent to Eppzirler Alm, 1459 m, can also be made bearing east below Ursprungsattel and crossing the Sunntigköpfl's crest, 1765 m. From there down to Gießenbach through Eppzirler Tal and Gießenbachtal to Gießenbach Railroad Station in 2 hrs. – From the Nördlinger Hütte go east to Ursprungsattel, 2096 m; from there, take the right fork through gullies and crags (near the crest) to below Erlspitze, where you go downhill to the Solsteinhaus, 1806 m, 6 – 8 hrs. (for experienced climbers only). – Crossing from Reither Spitze over Seefelder Spitze, 2221 m, to Seefelder Joch, 2060 m. The steep drop in the ridge makes a direct crossing difficult. The crossing is therefore made by climbing down from Reither Spitze over the northwest ridge to Reither Scharte, 2197 m. Proceed down over crags and turf into the Reither Kar between Reither Scharte and Seefelder Spitze, from where the climb leads up over the green west slope to Seefelder Spitze, 1 hr. (intermediate). Descent to Seefelder Joch, ³/₄ hr. From Seefelder Joch, cable car and cable railway to Seefeld or by foot, 2¹/₄ hrs. (easy).

TELFS CD 4

Market-Town, Greater Innsbruck County. Population: 13000. Elevation: 634 m. Postal Code: 6410. **Information:** Telfs Tourist Office. **Railroad Station:** Telfs-Pfaffenhofen; for Mösern: Seefeld (4 km). Bus service to Innsbruck, to Imst and Seefeld.

The market-town of Telfs is situated at an important crossroads in the Upper Inn Valley. From Telfs, there is also a road that turns off, traveling across Mieming Plateau and Holzleitensattel to Fernpass and on to Ausserfern. The heart of the town is very picturesque. The buildings here frequently show decorative paintings, which is why Telfs is known as the „town of frescoes." The widespread township also includes Mösern (cf.), Buchen and Bairbach perched high above the Inn Valley. Telfs has developed into a popular resort and offers a good network of well-marked hiking trails. The town is a major economic and cultural center of the Upper Inn Valley. The „Schleicherlaufen" is a very old pre-Lenten parade held every five years. The next time will be in february 2015.

Attractions in Telfs and its Surroundings

The **center of the town** is full of lovely buildings with Gothic oriels and painted facades. – Neo-Romanesque **Parish Church of Sts. Peter and Paul**, erected in 1863. – **Franziskanerkirche** (Franciscan Church), built 1705, with painting by Lukas Platzer, 1710, above the main altar. – **Maria-Hilf-Kapelle** (chapel) on Birkenberg. Centralized building from the late 17th century; dome frescoes and altar from that period (altar by Andreas Thamasch, sculptor of Stams Abbey), Rococo pulpit from the mid-18th century, paintings at the left side altar by Josef Schöpf. – The **St.-Veit-Kapelle** (chapel) in Lehen deserves special attention. This lovely chapel was consecrated in 1384 and renovated in the 17th century and shows the decline of the Gothic style. The painting of St. Kümmernus by the local artist Leopold Puellacher dates from 1820. – The **St. Moritzen Kirchlein** (Church of St. Moritz) near Kalvarienberg (Mount Calvary). – The **Heimatmuseum** (Folklore Museum) offers exhibits of Christmas crèches, Passion scenes, traditional masks from the „Schleicherlaufen" and old tools used to make loden and woven textiles. – The **Farming Museum at the Ropferstub'm** in Buchen displays farming tools and equipment and includes an open-air museum.

Walks

Starting Point: Telfs center. To Wallfahrskirche St. Moritz (pilgrimage church), $^1/_2$ hr. – To St.-Veit-Kapelle via Lehen, $^3/_4$ hr., return by way of Hinterberg, $^1/_2$ hr. – To the Wallfahrtskapelle (pilgrimage chapel) on Birkenberg, 1 hr.; from there to Arzbergklamm (gorge), $^1/_2$ hr. – Into Kochental via Birkenberg and return along Finsterbach through Sagl to Telfs, $2^1/_2$ hrs. – To Bairbach by way of Birkenberg and Brand, $1^1/_2$ hrs. – To the Rauthhütte, 1605 m, by way of Birkenberg and through Kochental (valley) to Katzenloch, then turn left and make the easy climb to the hut, $4^1/_2$ hrs.

Hikes

To Hohe Munde: see Leutasch.

Wankspitze, 2209 m

PONTIFEX MAXVMVS [...] VIAM CLAVDIAM

AVGVSTAM [...] MVNIT AB ALTINO VSQVE AD FLVMEN DANVVIVM

TI[BERIVS] CLAVDIVS DRVSI F[ILIVS] CAESAR AVG[VSTVS] GERMANICVS

M[ILIA] P[ASSVVM] CCCL

Resti della/Reste der/Ruins of Via Claudia Augusta

Our thanks to the tourist offices and Alpine Clubs who helped us update this KOMPASS Guide and who made photo material available to us.

La carta turistica KOMPASS 1: 25 000, foglio nr. 026 "Seefeld in Tirol – Leutasch" rappresenta un vasto territorio escursionistico con un'estensione di oltre 70 km^2 lungo le Alpi calcaree settentrionali. Il Tirolo non è solo il paese dei ghiacciai, delle nevi perenni e delle frastagliate pareti rocciose, ma presenta una natura ancora incontaminata là dove i boschi montani ed i prati alpestri sono attraversati da allegri ruscelli che scorrono verso valle.

Questo esteso territorio escursionistico – l'altopiano di Seefeld – si presenta simile ad un palcoscenico ca. 600 m sopra l'antistante Valle dell'Inn a sud. L'altopiano è contornato da giganteschi scenari. Ad est si ergono le vette frastagliate del Karwendelgebirge, il Gruppo di Seefeld. Non a torto questo gruppo porta l'appellativo di "Dolomiti di Seefeld". Ad ovest si presenta il largo e imponente massiccio della Hohe Munde, 2662 m, il pilastro d'angolo della catena di Mieming. Fungono da sfondo a questo scenario le ardite vette e pareti scoscese del Wettersteingebirge, la cui cresta segna il confine tra l'Austria e la Germania. Il rilievo più alto del gruppo è la Zugspitze, 2962 m. In mezzo a questo magnifico scenario si adagia l'altopiano leggermente ondulato di Seefeld con la lunga Valle di Leutasch, che è la continuazione della Gaistal, cioè di quell'incisione valliva che divide il Wettersteingebirge dalla catena di Mieming. Arrivati al margine sud dell'altopiano di Seefeld ci si vede davanti un dirupo verso la Valle dell'Inn e si gode un magnifico panorama.

Il toponimo del Wettersteingebirge indica già nel suo inizio gli improvvisi e repentini cambiamenti di tempo (Wetter = tempo). La catena di Mieming prende il nome dalla località di Mieming, sull'omonimo altopiano. Il nome della catena del Karwendelgebirge venne fatto derivare dalle tipiche forme delle pareti e circhi glaciali di questo territorio, ma secondo le ricerche del dott. Walde, professore di Innsbruck, il toponimo "Karwendel" deriverebbe dagli antichi Veneti che in tempi remoti popolavano assieme ai Celti larghe porzioni del territorio alpino.

Le catene montuose raffigurate in questa carta furono schiuse al turismo a partire dalla metà del XIX secolo. Il primo rifugio un po' più grande nel Karwendel fu costruito da un certo Niederkircher, postino di Zirl, nell'anno 1888 sul Wiesensattel (Zirler Mähder) a sud del Gruppo Solstein. Questo rifugio, il "Solsteinhütte", fu gestito fin dall'inizio e dato in affitto anche per un periodo alla sezione di Innsbruck dell'Alpenverein, il Club alpino austriaco. Questa sezione costruì anche lunghi sentieri. Più tardi il rifugio passò di proprietà ad un cacciatore e ricevette il nome di "Martinsberg". Nell'anno 1924 cambiò nuovamente il nome in "Neue Magdeburger Hütte". Nel 1898 fu costruito un altro rifugio. Per volere della sezione del Club alpino tedesco di Nördlingen a ca. 20 min. al di sotto della Reither Spitze, in un punto panoramico stupendo delle "Dolomiti di Seefeld", sorse il "Nördlinger Hütte", 2239 m. Il rifugio fu in seguito più volte ampliato. Nel 1914 – poco prima che scoppiasse la prima guerra mondiale – fu inaugurato sull'Erlsattel il "Solsteinhaus", 1806 m, appartenente all'Alpenverein di Innsbruck e facilmente raggiungibile da Hochzirl.

Geologia

La geologia di queste tre catene – Wettersteingebirge, Mieminger Kette e Karwendelgebirge – è molto varia. Per l'escursionista e rocciatore è sufficiente sapere che esse sono per lo più composte dagli stessi componenti della roccia del Karwendelgebirge e cioè di calcare del Wetterstein e della più scura dolomia principale. Queste rocce formano ripide pareti e creste scoscese che s'innalzano con ardite vette. Sono molto friabili ed è necessario usare molta prudenza perché la presa si spacca facilmente e spesso si hanno cadute di sassi.

Flora e fauna

La flora varia considerevolmente a seconda della conformazione geologica, dell'altitudine e delle condizioni climatiche. Durante tutta l'estate si possono trovare infinite specie di genziane, nei boschi il mezereo, nei mugheti l'anemone giallo, più in alto il rododendro e il rododendro alpino, la scopa da ciocco e la brunella; sulle pareti meridionali l'auricola alpina, mentre invece si cercherà invano la stella alpina. Una bellezza particolare del paesaggio sono i larici nella lunga Valle Leutaschtal.

L'ospite che vorrà constatare la ricchezza della fauna non può mancare al foraggiamento nella stagione invernale. Nelle radure più basse sono molto frequenti il cervo ed il capriolo, nelle zone di alta montagna non è raro incontrare branchi di camosci, mentre invece si udirà solo il fischio acuto d'allarme delle timide marmotte. La taccola si avvicina quasi all'uomo per prendergli il cibo dalle mani, quando questi si riposa dalle fatiche delle tante vette frequentate. Numerosi sono anche i piccoli rapaci come lo sparviero e l'astore, mentre un po' più rara è l'aquila, la „regina dell'aria". La vista del gallo cedrone e del fagiano di monte è riservata solo ai mattinieri durante il periodo di accoppiamento. I chiari corsi d'acqua sono ricchi di pesci ed offrono la possibilità della pesca sportiva.

Infine non vogliamo dimenticare di menzionare che su tutto il territorio, sia in Tirolo che anche in Baviera, **è severamente vietato raccogliere fiori e disturbare la selvaggina**; la trasgressione comporta gravi contravvenzioni. E' inoltre nell'interesse di tutti evitare rumori inutili, perché solo nel silenzio si potrà godere tutta la bellezza di un'escursione o di un'ascensione.

Storia

Con la costruzione della strada romana da Zirl a Seefeld ed infine a Scharnitz ha inizio la storia di questa zona. Oltre a Scharnitz (la *Scarbia* latina) e Zirl anche Seefeld divenne stazione romana. Fu l'arteria vitale di tutto il territorio su cui si svolgeva il maggior traffico con l'Italia (Augusta – Innsbruck – Venezia). Nel Medioevo venne chiamata „Rottstraße". La „Rott" era una sorta di associazione dei carrettieri borghesi, gli unici a poter effettuare i trasporti da una „Rottstation" (= deposito di merci) all'altra. Le „Rottstationen" presenti sulla carta erano situate a Zirl, Seefeld e Scharnitz. Con il tramonto del commercio con l'Italia attraverso il Brennero durante la guerra dei trent'anni (1618-1648), nel XVII sec., finì anche l'agiatezza dei contadini di Seefeld. Le risorse economiche – legno e allevamento del bestiame – non bastavano a nutrire la popolazione. Molti dovettero lasciare la patria per tro-

Una sosta meritata!/Wohlverdiente Rast!/Taking a well-earned break!

vare lavoro altrove. Solo con la scoperta della bellezza dei luoghi, l'inizio dell'alpinismo ed il moderno turismo l'altopiano di Seefeld e la Leutaschtal divennero quello che sono oggi: una delle zone ricreative più belle delle Alpi settentrionali la cui caratteristica – coniata da natura, storia e folclore – sa affermarsi anche nella grande cerchia del turismo internazionale. In occasione di due giochi olimpici invernali (1964 e 1976) e del Campionato mondiale di sci nordico (1985) furono disputate a Seefeld alcune gare e ciò ha contribuito a rendere ancora più nota la località.

SENTIERI A LUNGA PERCORRENZA

La sezione dell'Associazione alpina che cura i sentieri a lunga percorrenza è il centro informazioni a cui rivolgersi per quanto concerne i sentieri europei ed i sentieri a lunga percorrenza in territorio austriaco. Associazione alpina; sede: Thaliastraße 159/3/16, 1160 Vienna/Austria, tel. e fax 0043/(0)1/4938408, weitwanderer@sektion.alpenverein.at www.alpenverein.at/weitwanderer • www.fernwege.de

Le associazioni alpine hanno provveduto ad apportare la segnaletica, contraddistinta da un numero e da un nome, lungo i sentieri a lunga percorrenza allo scopo di informare gli escursionisti su mete locali di interesse, fino ad allora poco ricercate, ma meritevoli.

Per facilitare l'utilizzazione di detti percorsi sono state realizzate apposite guide che informano il lettore sul percorso, le possibilità di pernottamento, la distanza in chilometri ed il dislivello, il tempo di percorrenza ed il grado di difficoltà così come anche sugli orari di apertura degli alberghi e dei rifugi. Sono stati inoltre istituiti posti di controllo, dove poter timbrare la visita e far quindi richiesta degli appositi distintivi escursionistici per il tratto percorso, indipendentemente dal tempo impiegato.

Oltre ai numerosi itinerari regionali l'Austria offre anche ben **10 sentieri a lunga percorrenza**, contrassegnati da 01 a 10. L'eventuale presenza di un numero al posto del centinaio indica il gruppo montuoso. Nelle Alpi Centrali il numero è dispari (ad es. 901), mentre nelle Alpi Calcaree settentrionali e meridionali esso è pari (ad es. 801). La presenza di una lettera dopo il numero indica invece la variante del sentiero (ad es. 801A). Numerosi sentieri nazionali a lunga percorrenza sono integrati nella rete dei sentieri europei.

La presente carta riporta il sentiero delle Alpi settentrionali n. 01 che corrisponde al sentiero Europeo n. 4, variante alpina.

Prima di intraprendere un'escursione si consiglia di informarsi sulle possibilità o meno di pernottamento nei rifugi o nelle località indicate.

I sentieri a lunga percorrenza richiedono esperienza di montagna, buone condizioni fisiche ed un buon equipaggiamento.

Sviluppo dei sentieri a lunga percorrenza

Sentiero Europeo E 4, variante alpina:

L'E 4 inizia attualmente in Andalusia e attraversa Francia, Svizzera, Germania, Austria, Ungheria e Bulgaria per concludersi in Grecia. In Austria si trova la variante alpina che si sviluppa lungo le Alpi Calcaree settentrionali, per congiungersi con il tragitto principale nel Burgenland. Dato che la variante alpina dell'E 4 è risultata troppo impegnativa per chi non ha pratica di alpinismo è stato realizzato un percorso più interessante lungo le Prealpi bavaresi e quelle austriache. Il „Sentiero prealpino 04" attraversa il bosco di Bregenz, le regioni bavaresi Oberallgäu, Ammergau, Schwangau, Tegernsee e Werdenfelserland, Schlierseerland, Chiemgau e Flachgau, proseguendo quindi in Austria per Salzkammergut, Höllengebirge, Ennstal, Steyrtal, Eisenwurzen, Ötscherland e la Selva viennese fino alle porte dell'Ungheria, volgendo poi a sud al lago Neusiedler See, e proseguendo per l'Ungheria.

Sentiero n. 01 Alpi settentrionali/01A Variante (201, 801, 801A):

Come già precedentemente accennato per il sentiero E 4, questo percorso attraversa tutte le regioni dell'Austria ad eccezione della Carinzia. Si sviluppa da Rust, presso il Neusiedler See, risp. Porchtoldsdorf presso Vienna, e tocca i gruppi montuosi Schneeberg, Rax, Hochschwab, Gesäuseberge, Totes Gebirge, Dachstein, Tennengebirge, Hochkönig, Steinernes Meer, Loferer Steinberge, le Alpi di Chiemgau, Kaisergebirge, Rofangebirge, Kar-

wendelgebirge, Zugspitze, le Alpi della Lech, il bacino imbrifero della Lech e la selva di Bregenz, concludendosi a Bregenz dopo oltre 1000 km parzialmente coincidenti con la tratta del sentiero E 4 (variante alpina).

Sulla carta ha inizio sul margine destro, proveniente dal Rif. Karwendelhaus (quadrante I 2), prosegue per la valle del Karwendel fino a Scharnitz e oltre per la val Sattel fino ad Ahrn, frazione di Leutasch. Il percorso principale volge indi verso nord fino all'imbocco dell'irta val Berglein, giungendo in serpentine al Rif. Meilerhütte. Oltrepassato il maso Schachenhaus scende nella Reintal al Rif. Reintalangerhütte e prosegue per i Rif. Knorrhütte e Sonn-Alpin-Haus sullo Zugspitzplatt. Ad est della Zugspitze il sentiero esce dalla presente cartografia nel quadrante di riferimento A 1, presso il Rif. Wiener-Neustädter-Hütte. Il percorso richiede assoluta assenza di vertigini, passo sicuro e buone condizioni fisiche. Per assicurare i punti più esposti sono state apportate funi, scale e attacchi vari. Talvolta, in presenza di campi nevati, sono necessari anche i ramponi.

Una variante del sentiero (801 A) porta da Ahrn, frazione di Leutasch, a Obern, lungo il rio Leutasch, attraverso la val Gais fino alle malghe Gaistalalm, Tillfussalm ed Ehrwalder Alm e da qui esce nuovamente dalla carta (quadrante A 2).

Sentieri escursionistici regionali

Adlerweg

L'Adlerweg, o Sentiero dell'aquila, si sviluppa a livello regionale lungo le più belle catene montuose rivelando il mitico Tirolo. Conduce in direzione est-ovest da St. Johann in Tirol attraverso il Kaisergebirge, le Brandenberger Alpen, il Rofan, il Karwendelgebirge, passa per Innsbruck poi nelle Tuxer Alpen, ritorna per la località di Hochzirl nel Wettersteingebirge e sulla Mieminger Kette per giungere infine attraverso le Lechtaler Alpen a St. Anton am Arlberg. Il percorso riportato sulla presente cartografia: stazione ferroviaria Hochzirl, 994 m – Rif. Solsteinhaus, 1806 m – Eppzirler Alm, 1459 m – Gießenbach/Scharnitz – Satteltal – Ahrn/Leutasch, 1094 m – Gaistal – Gaistalalm, 1366 m – Tillfussalm, 1382 m – Ehrwalder Alm, 1502 m. Per ulteriori informazioni consultare il sito: www.adlerweg.tirol.at

Jakobswege

Uno degli itinerari austriaci del Cammino di Santiago di Compostela conduce in direzione est-ovest dalla località di Wolfsthal (presso il Danubio al confine con la Repubblica Slovacca) nell'Austria Inferiore a Feldkirch, nel Vorarlberg, un altro dalla località Thal presso Graz proseguendo attraverso la Slovenia e ritornando verso ovest per la valle della Drava/Drautal fino a Dobbiaco, in Val Pusteria, poi per Rio di Pusteria, Fortezza e Vipiteno al Passo del Brennero e ad Innsbruck, dove si congiunge all'itinerario antecedente.

Il percorso riportato sula presente cartografia: Inzing – Oberhofen – Rietz – Stams.

RIFUGI ED ALBERGHI ALPINI

Non ci assumiamo alcuna responsabilità per le indicazioni fornite. Prima di iniziare le escursioni informarsi al valle sul periodo di apertura dei rifugi e sulle possibilità di pernottamento. I numeri di telefono degli alberghi alpini e dei rifugi più importanti sono riportati a pag. 61.

Karwendelgebirge

Ahrnspitzhütte, Rifugio, 1955 m (H 2), Alpenverein, bivacco per 4 persone, incustodito. Accessi: da Mittenwald attraverso il Riedbergscharte, ore 5 (diff. media); da Scharnitz, ore 2.30 (facile); da Unterleutasch ore 3.30; da Oberleutasch, ore 3. Cima: Große Ahrnspitze, 2196 m, ore 1 (solo per esperti).

Brunnsteinhütte, Rifugio, 1560 m (I 1), Alpenverein, CAP: 82481 Mittenwald, gestione estiva. Accesso: da Mittenwald, ore 2. Traversata: a Scharnitz, ore 2.45. Cima: Brunnensteinspitze, 2180 m, ore 2 (media difficoltà).

Eppzirler Alm, Malga, 1459 m (I 3), privata, CAP: 6108 Scharnitz, gestione estiva. Accesso: da Scharnitz, in località Gießenbach, ore 1.45. Traversate: al Rif. Solsteinhaus, ore 2.30; al Rif. Nördlinger Hütte, ore 2.15. Cima: Erlspitze, 2405 m, 2.30 ore (media difficoltà).

Mittenwalder Hütte, Rifugio, 1518 m (I 1), Alpenverein, CAP: 82481 Mittenwald, gestione estiva. Accesso: da Mittenwald, ore 1.30 ca. Traversate: al Rif. Brunnensteinhütte, ore 2; al Rif. Dammkarhütte passando per la Westliche Karwendelspitze, ore 3.30 (solo per esperti). Cima: Westliche Karwendelspitze, 2385 m, ore 2.30 (solo per esperti).

Nördlinger Hütte, Rifugio, 2239 m (H 3), Alpenverein, CAP: 6103 Reith bei Seefeld, gestione estiva. Accessi: da Reith, ore 3; da Seefeld, ore 3. Traversate: al Rif. Solsteinhaus, ore 3.30; alla Malga Eppzirler Alm, ore 1.30; alla stazione a monte della funivia Härmelekopfbahn passando per la Reither Spitze, ore 1 (solo per esperti). Cime: Reither Spitze, 2374 m, 30 min. (media difficoltà); Freiungspitzen, 2332 m e 2303 m, risp. ore 1.45 e 2 (solo per esperti).

Ötzi Hütte, Rifugio, 1495 m (F 3), sullo Gschwandtkopf, privato, CAP: 6103 Reith bei Seefeld, aperto tutto l'anno. Accessi: da Seefeld, ore 1.30 o con la seggiovia; da Reith bei Seefeld, ore 1.30 o con la seggiovia; da Mösern, ore 1.

Reitherjoch Alm, Malga, 1505 m (G 3), privata, CAP: 6100 Seefeld in Tirol, gestione estiva. Accessi: da Seefeld, ore 1.30; da Reith, ore 2; da Auland, ore 1. Traversate: al Rif. Rosshütte, ore 1; al Rif. Nördlinger Hütte, ore 2.

Rosshütte, Rifugio, 1751 m (H 3), stazione a monte della funicolare terrestre, privato, CAP: 6100 Seefeld in Tirol, aperto tutto l'anno. Accesso: da Seefeld, a piedi, ore 2, o con la funicolare terrestre. Traversate: al Seefelder Joch, 2060 m, a piedi, ore 1 (facile), o con la cabinovia, piste da sci; punto di partenza per la funivia Härmelekopfbahn, 2034 m, oppure a piedi, ore 1 (facile), piste da sci.

Solsteinhaus, Rifugio, 1806 m (I 4), Alpenverein, CAP: 6170 Zirl, gestione estiva. Accessi: da Hochzirl, ore 2.30; da Scharnitz, ore 4.30. Traversate: alla Malga Eppzirler Alm, ore 2; al Rif. Neue Magdeburgerhütte per il sentiero „Zirler Schützensteig", ore 2.15 (solo per esperti). Cime: Großer Solstein, 2541 m, ore 2.15 (facile); Erlspitze, 2405 m, ore 1.30 (solo per esperti).

Mieminger Kette (Catena di Mieming)

Neue Alplhütte, Rifugio, 1504 m (B 3), privato, CAP: 6410 Telfs, gestione estiva. Accessi: da Wildermieming, ore 2; da Telfs, ore 2.30.

Rauthhütte, Rifugio, 1605 m (D 3), privato, albergo sulla Moosalm sul fianco orientale della Hohe Munde, CAP: 6105 Leutasch, aperto tutto l'anno. Accesso: da Oberleutasch, ore 1.30. Traversata: a Buchen, ore 1. Cima: Hohe Munde, cima est, 2592 m, ore 1.30 (solo per esperti).

Ropferstub'm, 1210 m (D 3), privato, Museo contadino e albergo sulla strada Leutasch – Mösern, CAP: 6410 Telfs, aperto tutto l'anno. Accesso: da Buchen, 20 min. Traversata: al Rif. Rauthhütte, ore 1.15.

Strassberghaus, Albergo, 1191 m (B 3), privato, CAP: 6410 Telfs, aperto tutto l'anno. Accessi: da Telfs, ore 1.45; da Wildermieming (fermata autobus Affenhausen), ore 1.15; con l'auto fino alla sbarra o al parcheggio. Traversate: al Rif. Neue Alplhütte, ore 1; alla Malga Tillfussalm nella val Gaistal passando per la Niedere Munde, 2059 m, ore 3.30. Cime: Hohe Munde, 2662 m, ore 4.30 (solo per esperti).

Seefelder Hochfläche (Altopiano di Seefeld)

Neuleutasch, Albergo, 1217 m (F 3), privato, sulla strada da Seefeld a Oberleutasch, CAP: 6105 Leutasch, aperto tutto l'anno.

Triendlsäge, Albergo, 1125 m (FG 3), privato, al margine settentrionale di Seefeld, CAP: 6100 Seefeld in Tirol, accesso in macchina fino alla casa.

Wildmoosalm, Malga, 1314 m (F 3), privata, CAP: 6100 Seefeld in Tirol, aperta tutto l'anno. Accessi: da Seefeld, 30 min.; da Oberleutasch, ore 1. Traversata: a Mösern, ore 1.

---

*Segnale di soccorso alpino: dare per **sei volte** in un minuto, a intervalli regolari, un segno visibile o udibile, poi fare una pausa di un minuto. Si ripete finché non si riceve risposta.*

*Risposta: entro un minuto viene dato per **tre volte**, ad intervalli regolari, un segno visibile o udibile.*

 Via Alpina Con 341 tappe giornaliere, 5 diversi itinerari e oltre 5000 km di sentieri la Via Alpina invita alla scoperta di otto stati alpini: Principato di Monaco, Francia, Svizzera, Liechtenstein, Germania, Austria, Italia e Slovenia. Il percorso si svolge da Monaco a Trieste ad un'altitudine che varia da 0 a 3000 m lungo tutto l'arco alpino, attraverso 9 parchi nazionali, 17 parchi naturali, innumerevoli zone sotto tutela ambientale ed oltrepassa ben 60 volte i confini dei vari stati. Non presenta difficoltà tecniche notevoli ed è quindi agibile durante l'estate senza corde o ramponi, ma adeguatamente equipaggiati. Ogni tappa offre varie possibilità di pernottamento a valle o nei rifugi dei club alpini.

La convenzione stipulata dagli Stati alpini nel 1991 ha realizzato questo progetto allo scopo di incrementare durevolmente lo sviluppo e la presa di coscienza necessaria per la tutela dell'area alpina, così ecologicamente sensibile. Le Alpi infatti non rappresentano soltanto l'area naturale più grande d'Europa che dà rifugio e protezione ad innumerevoli specie di flora e fauna endemica di rara bellezza, bensì offre spazio anche a 13 milioni di persone, a popolazioni caratterizzate da tradizioni plurisecolari e da scambi culturali.

Sul sito www.via-alpina.com troverete ulteriori informazioni.

Wettersteingebirge

Alpenglühen-Wirtshaus, Albergo, 1502 m (A 2), privato, CAP: 6632 Ehrwald, aperto tutto l'anno. Accesso: dalla Malga Ehrwalder Alm (stazione a monte della cabinovia), 15 min. Traversate: alla Malga Hochfeldernalm, 45 min.; alla malga Tillfussalm, ore 2; al Rif. Coburger Hütte, ore 1.45.

Ehrwalder Alm, Malga, 1502 m (A 2), privata, CAP: 6632 Ehrwald, aperta tutto l'anno. Accessi: da Ehrwald, ore 1.30 o con la cabinovia. Traversate: al Rif. Coburger Hütte, ore 2; al Rif. Knorrhütte, ore 3.30.

Gaistalalm, Malga, 1366 m (C 2), privata, CAP: 6105 Leutasch, gestione estiva ed invernale. Accesso: da Oberleutasch, ore 2.15. Traversate: alla Malga Rotmoosalm, ore 1.30; alla Malga Tillfussalm, 15 min.; alla malga Hochfeldernalm, ore 1.15; al Rif. Neue Alplhütte, ore 3.30. Cima: Hohe Munde, cima ovest, 2662 m, ore 4.30 (solo per esperti).

Hämmermoosalm, Malga, 1417 m (CD 2), privata, ai piedi del versante meridionale del Teufelsgrat, CAP: 6105 Leutasch, aperta tutto l'anno. Accesso: da Oberleutasch, ore 1.15; dalla Malga Tillfussalm, ore 1.30. Traversate: al Rif. Wettersteinhütte, ore 1.15; alla Malga Rotmoosalm, ore 1.30. Cima: Schönegg, 1624 m, 45 min. (facile).

Hochfeldernalm, Malga, 1732 m (A 2), privata, CAP: 6105 Leutasch, gestione estiva. Accessi: da Oberleutasch, ore 3.30; dalla malga Ehrwalder Alm, ore 1. Traversata: al Rif. Knorrhütte, ore 3.

Knorrhütte, Rifugio, 2051 m (B 1), Alpenverein, CAP: 82467 Garmisch-Partenkirchen, gestione estiva. Accessi: da Garmisch-Partenkirchen attraverso la Reintal, ore 7; dalla malga Erwalder Alm passando per Gatterl, ore 3.30. Traversate: al Sonn-Alpin-Haus, ore 2; al Rif. Reintalangerhütte, ore 1.30. Cima: Zugspitze, 2962 m, ore 3 (solo per esperti).

Meilerhütte, Rifugio, 2366 m (E 1), Alpenverein, CAP: 82467 Garmisch-Partenkirchen, gestione estiva. Accessi: da Garmisch-Partenkirchen per Schachen, ore 6 (richiesta assenza di vertigini nel tratto superiore); da Unterleutasch attraverso la Bergleintal, ore 5 (diff. media); da Unterleutasch attraverso il Söllerpass, ore 5 (solo per esperti). Traversate: al Rif. Oberreintalhütte, ore 2; al Schachenhaus, ore 1. Cime: Partenkirchner Dreitorspitze (cima ovest), 2633 m, per il sentiero Hermann-von-Barth-Weg, ore 2.30 (solo per esperti), buon sentiero attrezzato, altrimenti solo percorsi in arrampicata per alpinisti.

Münchner Haus, Rifugio, 2962 m (A 1), Alpenverein, CAP: 82467 Garmisch-Partenkirchen, gestione estiva. Accessi: da Garmisch o Ehrwald, ore 8; dal Rif. Sonn-Alpin-Haus, a piedi, ore 1, oppure con la funivia della Zugspitzbahn o la cabinovia. Traversate: al Rif. Knorrhütte, ore 2; al Rif. Wiener-Neustädter Hütte, ore 2.30 (solo per esperti).

Oberreintalhütte (Franz-Fischer-Hütte), Rifugio, 1532 m (D 1), Alpenverein, CAP: 82467 Garmisch-Partenkirchen. Rifugio da autogestire, in estate solo vendita bevande. Accesso: da Garmisch-Partenkirchen, ore 4. Traversate: al Rif. Schachenhaus, ore 1.15; al Rif. Meilerhütte, ore 3; al Rif. Reintalangerhütte, ore 2.30. Cime: zona di arrampicata.

Reintalangerhütte (Angerhütte), Rifugio, 1369 m (B 1), Alpenverein, CAP: 82441 Ohlstadt, gestione estiva. Accesso: da Garmisch-Partenkirchen, ore 5. Traversate: al Rif. Knorrhütte, ore 2; al Rif. Oberreintalhütte, ore 3. Cima: Hochwanner, 2744 m, ore 5 (solo per esperti).

Rotmoosalm, Malga, 1904 m (C 2), privata, CAP: 6105 Leutasch, gestione estiva. Accessi: da Oberleutasch, ore 3.30; dalla Malga Gaistalalm, ore 1.30. Traversate: alla Malga Hämmermoosalm, ore 1; al Rif. Wettersteinhütte, ore 2; alla Malga Ehrwalder Alm, ore 2.30. Cime: Schönberg, 2142 m, 45 min. (facile): Predigtstein, 2234 m, 45 min. (difficoltà media).

Schachenhaus, Rifugio, 1866 m (E 1), privato, CAP: 82467 Garmisch-Partenkirchen, gestione estiva. Accesso: da Garmisch-Partenkirchen, ore 4.30. Traversate: al Rif. Meilerhütte, ore 1.30; al Rif. Oberreintalhütte, ore 1.15. Cime: Teufelsgsass, 1942 m, 15 min.; Schachentorkopf, 1957 m, 30 min.

Schüsselkarbiwak, Bivacco, 2536 m (E 1), Alpenverein, accessibile tutto l'anno, deposito materassi per 6 persone. Accesso: dal Rif. Oberreintalhütte, arrampicata III grado, ore 6. Cime: zona di arrampicata.

Sonn-Alpin-Haus, Rifugio, 2576 m (A 1), privato, CAP: 82467 Garmisch-Partenkirchen, gestione estiva. Accessi: dal Rif. Knorrhütte, ore 2; da Garmisch-Partenkirchen con la cremagliera e poi in pochi muniti a piedi. Traversata: al Rif. Münchner Haus, ore 1. Cime: Zugspitze, 2962 m, ore 1 (difficoltà media); Schneefernerkopf, 2874 m, ore 1 (difficoltà media).

Tillfussalm, Malga, 1382 m (B 2), privata, CAP: 6105 Leutasch, gestione estiva. Accessi: da Oberleutasch/Gasthaus Gaistal, ore 2.15; dalla malga Ehrwalder Alm, ore 2. Traversate: al Rif. Knorrhütte, ore 3.30 ca.; al Rif. Strassberghaus o al Rif. Neue Alplhütte passando per la sella Niedere-Munde-Sattel, ore 3.30 ca.; al Rif. Wettersteinhütte per la Rotmoosalm, ore 3. Cima: Hohe Munde, 2662 m, ore 4.30 (solo per esperti).

Wangalm, Malga, 1753 m (D 2), privata, CAP: 6105 Leutasch, gestione estiva. Accesso: da Oberleutasch/Klamm, ore 2. Traversate: alla Malga Hämmermoosalm, ore 1; alla Malga Rotmoosalm, ore 2.30. Cima: Gehrenspitze, 2367 m, ore 2.45 (facile).

Wettersteinhütte, Rifugio, 1717 m (D 2), privato, CAP: 6105 Leutasch, accessibile tutto l'anno. Accesso: da Oberleutasch/Klamm, ore 1.30. Traversate: alla Malga Hämmermoosalm, ore 1; alla Malga Tillfussalm passando per la Malga Rotmoosalm, ore 2.30. Cima: Gehrenspitze, 2367 m, ore 3 (facile).

Wiener-Neustädter-Hütte, Rifugio, 2209 m (A 1), Österreichischer Touristenklub, CAP: 6632 Ehrwald, gestione estiva. Accessi: da Ehrwald, ore 3.30; dal IV pilone della Österreichische Zugspitzbahn, 30 min. Traversata: al Rif. Münchner Haus, ore 3 (solo per esperti). Cima: Zugspitze, 2962 m, ore 3 ca. (solo per esperti).

Ringraziamo le Associazioni turistiche e l'Alpenverein che hanno dato il loro valido contributo all'aggiornamento della presente guida KOMPASS mettendo inoltre a disposizione anche materiale fotografico.

Descrizione delle località:

Troverete i numeri di telefono e di fax delle Associazioni Turistiche a pag. 61.

LEUTASCH   EG 1-2

Comune, distretto di Innsbruck-Land, abitanti: 1.985, altezza s.l.m.: 1136 – 1166 m, CAP: 6105. **Informazioni**: Associazione turistica/Infobüro Leutasch. **Stazioni ferroviarie**: Seefeld (8 km) e Mittenwald (11 km). Collegamento autobus con Seefeld, Mittenwald, Reith, Scharnitz, Mösern/Buchen e Telfs. **Impianti di risalita**: seggiovie e sciovie.

Il fondovalle di questa lunga valle (16 km) è circa 100 m più alto di quello della Isartal. La sede del Comune si trova nella frazione di Kirchplatzl. Il torrente Leutascher Ache, che nasce dalla sella Gaistalsattel presso Ehrwald, attraversa dapprima la valle Gaistal, indi la Leutaschtal e poco dopo la forra Leutascher Geisterklamm sfocia nella Isar prima di Mittenwald

(v. carta KOMPASS n. 26, „Karwendelgebirge"). Leutasch è facilmente accessibile da Mittenwald, Scharnitz, Seefeld e Telfs, sia per la strada che per i numerosi sentieri. La valle si divide in due parti: Oberleutasch e Unterleutasch. Non si tratta però di località omogenee, bensì di agglomerati e villaggi sparsi, spesso ben distanti tra loro. Mancano completamente i masi di alta montagna, che si possono ammirare invece nella maggior parte delle vallate tirolesi. Gli insediamenti urbani si concentrano nei punti di incrocio delle strade di accesso a Leutasch: ai piedi della Hohe Munde e allo sbocco della Gaistal si trovano i piccoli agglomerati di Moos, Obern, Klamm, Platzl, Plaik e Aue, all'incrocio della strada proveniente da Seefeld, si trovano Unterweidach e Oberweidach e, sulla strada da Mittenwald gli agglomerati di Schanz, Burggraben, Unterkirchen, Lochlehn, Reindlau, Puitbach, Ahrn e Gasse.

Da Seefeld la strada sale lentamente ed attraversa un fitto bosco di conifere, il cosiddetto Kellenwald. Dopo un quarto d'ora ca. si giunge ai prati alpestri, da dove si gode per la prima volta la vista dei dorsali boscosi dell'Hochmähder (Simmlberg) e del bosco Eibenwald, dietro ai quali si elevano le cime delle Dolomiti di Seefeld. Sovrasta il panorama il largo massiccio della Große Ahrnspitze preceduta da due cime minori, la Ahrnplattenspitze e il Weißlehnkopf. A nord la vista viene chiusa dall'enorme cresta del Wetterstein, il cui gigantesco muro roccioso si estende dall'Hochwanner al Musterstein, mentre ad ovest, invece, viene chiusa dall'ampio dorso della Hohe Munde, separata dal Wettersteingebirge dalla profonda valle Gaistal. Nel bel mezzo di questo scenario roccioso, coronata da un fitto bosco d'alta montagna, si adagia la lunga valle Leutaschtal. Le montagne della Valle dell'Inn salutano lontane, da sud.

La zona di Leutasch è povera di terreno agricolo, ma ricca di prati e boschi. L'economia locale è imperniata sul turismo e sul commercio di legna e di bestiame. Gli abitanti sono dediti alla caccia. Le case sono costruite in modo semplice, quasi tutte in muratura, nonostante la ricchezza di legname. L'unico abbellimento è rappresentato dagli affreschi, spesso in forma di detti sulle pareti o sui frontoni, come a Unterleutasch:

„Wer Böses von mir spricht / „Chi mal parla di me
Betrete diese Wohnung nicht / non varchi questa soglia
Denn jeder hat in seinem Leben / ché ognun in vita sua
Auf sich selbst genugsam Acht zu geben." / a sè badar ben voglia."

Storia

Non si ha la certezza che la zona di Leutasch fosse già abitata ai tempi dei Romani; non esistono infatti toponimi romani. La colonizzazione sembra essere stata effettuata da parte della Bavaria. Nell'XI o XII sec. i nobili di Weilheim, un'antica stirpe guelfa, acquistarono grandi possedimenti nella zona di Leutasch. Nel 1178 una parte di questi furono donati al convento degli agostiniani di Polling (Bavaria), che all'inizio inviarono un proprio predicatore quale pastore nella Valle Leutasch. Solo alla metà del XVII sec. vennero istituiti preti in veste di curati.

Sembra comunque che gli abitanti di Leutasch non abbiano sempre goduto dell'approvazione dei loro pastori. Così scrive infatti nel 1777 l'allora parroco di Telfs, Franz von Buol: „La popolazione di Leutasch ha modi villani e dissoluti e molti sono dediti alla caccia di frodo e alla superstizione. Anche il loro credo non è profondo e in parte errato". Fino al XIII sec. tutta la valle di Leutasch appartenne al Werdenfelser Land (Garmisch), poi i regnanti tirolesi, dopo lunghe dispute, riuscirono a spostare il confine fino alla Leutaschklamm. Per lungo tempo la valle rimase silenziosa e tranquilla, ma le guerre non la risparmiarono. Già nel XIII sec. sull' „Halsl", il passaggio dalla Unterleutasch (Leutasch inferiore) a Mittenwald, si trovava una fortificazione. Quando durante la guerra dei trent'anni (1618-1648) fu costruita presso Scharnitz la „Porta Claudia" anche la Leutaschtal ricevette una grangia che però nel 1805, in seguito ad un tradimento, fu aggirata dai francesi lungo un sentiero che prese il loro nome, „Franzosensteig". Solo nel 1913 fu costruita l'odierna strada praticabile attraverso la Leutaschtal.

Curiosità del luogo e dintorni

L'altar maggiore barocco della **Chiesa parrocchiale di S. Maria Maddalena**, eretta attorno al 1820 a Oberleutasch, proviene dalla chiesa conventuale Benediktbeuren. – La **Chiesa parrocchiale di S. Giovanni Battista** a Unterleutasch fu eretta tra il 1827 ed il 1831. – La piccola **Cappella della peste** a Weidach venne eretta nel 1637 a ricordo della peste del 1634. – Il **Ganghofer-Museum** a Kirchplatzl. – Il **lago Weidachsee** è una delle mete locali più frequentate.

Passeggiate

Da Oberleutasch a Seefeld percorrendo sentieri di varia lunghezza. – Alla Malga Ehrwalder Alm, 1502 m, attraverso la Gaistal, ore 5-6. – Escursione circolare Leutasch, Mösern, Seefeld, Leutasch, ca. 22 km, ore 5-6.30. Dal Platzl si passa davanti all'Alpenhotel Karwendelhof, il ponte Ostbachbrücke, poi si segue il sentiero „Mooser Weg" per Moos, indi per bel sentiero nel bosco a Buchen. Da lì il sentiero conduce al Gasthaus Ropferstub'm (Museo contadino). Il sentiero „Pirschtsteig" porta indi a Mösern ed all'omonimo laghetto. Si continua per un sentiero panoramico attraverso i campi di Mösern e si giunge a Seefeld. Si ritorna al punto di partenza percorrendo la strada o affiancandola. – Per la forra Leutascher Geisterklamm, ore 1.30 ca. Punto di partenza: parcheggio antistante alla forra a Schanz.

Escursioni alpine

Al Rifugio Meilerhütte, 2366 m, attraverso la Bergleintal. Da Leutasch, in località Lehner, in salita attraverso il bosco Puitbacher nella Bergleintal. Poi in leggera discesa al Bergleinboden con vista nella gola. Il sentiero sale lungo la riva destra orografica del torrente fino ad un pendio di detriti alto sulla gola. A sinistra si trova la larga e profonda Trockenklamm. Si continua per prati e detriti sotto i dirupi meridionali delle Törlspitzen e del Musterstein. Da sinistra giunge il sentiero Hermann-von-Barth che conduce alla Partenkirchner Dreitorspitze. Quindi, con tornanti, alla Meilerhütte, visibile già da lontano. In salita ore 4-4.30, discesa ore 3.30 (solo per esperti). – Al Rif. Meilerhütte, 2366 m, attraverso la Puittal. Dalla frazione di Lehner si incomincia a salire fino al ponte Puitbachbrücke in 15 minuti poi lungo la riva sinistra del torrente si attraversa una falda di detriti che scende dall'Ofelekopf e poi il sentiero si divide. A quota 1589 m si devia a destra e attraverso mughi si prosegue verso il passo Söllerpass, 2211 m, che si raggiunge in ripida salita per prati e rocce e attraverso un ripido canalone (ometto di sassi con grandi macchie di colori). Il Söllerpass si trova ad ovest dell'avvallamento più basso! Da lì si fa un largo cerchio attraversando l'altopiano ondulato Leutascher Platt e poco sotto la salita al Rif. Meilerhütte si incontra il sentiero proveniente dalla Bergleintal. Si sale al rifugio con molti tornanti, ore 5 (solo per esperti). – Partenkirchner Dreitorspitze, cima ovest, 2633 m. Tutte le altre vette sono solo per esperti scalatori. Il percorso Hermann-von-Barth-Weg, un buon sentiero attrezzato, è solo per esperti oppure con guida. Esso devia dal sentiero che conduce alla Bergleintal poco sotto il Dreitorspitzgatterl in direzione ovest (destra). Una lapide ricorda Hermann von Barth, uno dei pionieri delle Alpi Calcaree Settentrionali. Il sentiero conduce attraverso i lastroni a strapiombo della parete est della cima nord est della Partenkirchner Dreitorspitze quasi orizzontalmente alla grande falda di sabbia e detriti che scende dalle pareti. Questa viene superata mediante due grandi tornanti ed arrivati ad un enorme blocco roccioso (segnavie molto chiaro) si cammina verso le rocce. I dirupi del massiccio vengono interrotti da uno sperone roccioso emergente dalla cima di mezzo della Partenkirchner Dreitorspitze. Il sentiero attrezzato si dirige verso questo. Superando ripide rocce e canaloni (fune metallica e scalette) il sentiero conduce verso l'alto per poi deviare quasi orizzontalmente a sinistra (ovest) circa 60-80 m sotto la cima di mezzo. Quindi con poca salita ed infine con tornanti attraverso il pendio coperto di grossi massi detritici alla vetta, ore 2.30. – Alla Gehrenspitze, 2367 m: dal Rif. Wettersteinhütte, 1717 m, si segue il torrente Klammbach in salita e nella parte superiore si volge bruscamente verso sud est e si arriva al giogo Scharnitzjoch, 2048 m, ore 1. Dal giogo si segue la cresta in direzione sud est percorrendo un sentiero in parte ben marcato. All'inizio delle rocce si passa sotto queste verso sud oltrepassando un dirupo giallognolo e si arriva alla vetta est. Dal giogo ore 1.30 (facile, ma sulla cresta è richiesta assenza di vertigini). Ci impressionerà particolarmente la catena del Wetterstein. A sud la vista spazia sull'altopiano di Seefeld e l'omonimo gruppo, a destra sulla Hohe Munde. – Alla Hohe Munde, cima est, 2592 m, e cima ovest, 2662 m: dal Rifugio Rauthhütte, 1605 m (da Oberleutasch, ore 1.30), si attraversa una conca prativa ed in salita (Hüttenrinner) si arriva a quota 2092 m, poi per detriti seguendo una buona traccia si sale alla cima est, ore 3 ca. (solo per esperti). Il passaggio alla cima ovest è anche solo per esperti. Da lì si scende alla Niedere Munde, 2059 m, ed al Rif. Strassberghaus, 1191 m, e si continua per Telfs.

Località nel Comune di Telfs, distretto Innsbruck-Land, abitanti: 300, altezza s.l.m.: 1245 m, CAP: 6100. **Informazioni:** Associazione Turistica/Infobüro Mösern-Buchen. **Stazioni ferroviarie:** Seefeld in Tirol (ferrovia del Karwendel), 2,5 km e Telfs (ferrovia dell'Arlberg), 4,5 km. Collegamento autobus con Seefeld, Leutasch, Reith, Scharnitz, Mittenwald e Telfs.

La località si estende sul limite sud ovest dell'altopiano di Seefeld ed è circondata da un magnifico scenario montuoso. Non a torto porta il soprannome di „Nido di rondine del Tirolo". Infatti dal margine dell'altopiano si gode una vista che abbraccia l'ampia valle dell'Inn con un salto di circa 600 m. Per escursioni senza grandi dislivelli e per itinerari di sci da fondo è a disposizione l'esteso altopiano di Seefeld.

Curiosità del luogo e dintorni

La **Chiesa** barocca **Visitazione di Maria**, ristrutturata ed ampliata nel 1763. Gli affreschi e l'altare sono del 1772. – La **Cappella Gföll**, del 1968. – Una delle mete preferite è il **lago di Mösern**. – **Campana della Pace**, realizzata dal Gruppo di lavoro delle Regioni alpine **ARGE-ALP**, che risuona tutti i giorni alle ore 17.

Passeggiate

Al lago Möserer See, 15 min. – Sullo Gschwandtkopf, 1495 m, 45 min. – Per il Brunschkopf, 1510 m, alla Wildmoosalm, 1314 m, ore 1.45. – Ad Auland presso Reith bei Seefeld, ore 1.15. – Sentiero della campana della pace/Friedensglockenwanderweg, ore 1.30, partendo dal parcheggio presso la Seewaldalm si raggiunge la campana passando per 7 stazioni meditative (facile).

Escursioni alpine

Sulla Hohe Munde per il lago Lottensee e Buchen (salita presso il Katzenloch) al Rif. Rauthhütte, 1605 m, ore 3.30 (facile). Da lì attraverso una conca prativa ed in salita (Hüttenrinner) a quota 2092 m. Poi per detriti percorrendo buone tracce di sentiero alla cima est, 2592 m, ore 3 ca. (solo per esperti). Il passaggio alla cima ovest, 2662 m, è raccomandabile solo ad esperti.

PETTNAU   EF 4

Comune, distretto di Innsbruck-Land, abitanti: 850, altezza s.l.m.: 610 m, CAP: 6410. **Informazioni**: Associazione turistica/Tourismusverband Pettnau-Leiblfing. **Stazione ferroviaria**: Hatting (1-3,5 km). Collegamento autobus con Innsbruck e Telfs.

Il Comune consta di agglomerati sparsi lungo la statale ai piedi del dirupo della depressione di Seefeld. Il toponimo deriva probabilmente da „Pette", equivalente di traghetto, quindi „villaggio rivierasco presso il traghetto". Sembra infatti che qui un traghetto attraversasse l'Inn già al tempo dei Romani, mentre invece ciò è sicuramente noto, nel Medioevo per il traffico del sale e di altre merci.

Curiosità del luogo e dintorni

La **Chiesa parrocchiale di S. Giorgio**, a Leiblfing, sovrasta dal colle la valle dell'Inn ed è uno dei motivi fotografici più noti del Tirolo Settentrionale. La costruzione tardogotica venne ampliata e modificata in stile barocco. Affreschi del XV sec. sulla parete esterna settentrionale ed all'interno, stucchi e pulpito del 1720 ca. – La **Chiesa dei SS. Barbara e Cristoforo**, a Oberpettnau, menzionata in fonti ufficiali già nel 1412, venne ampliata in stile barocco verso la metà del XVII sec. e ristrutturata un secolo dopo. Gli affreschi sul soffitto e sull'altare maggiore sono di J. A. Zoller, 1774. – Amene facciate barocche, con affreschi o stucchi, si trovano al **palazzo comunale**, alla **residenza Sternbach**, all'ex **Gasthof Baldauf** e al **Gasthof Mellaunerhof**, con volte tardogotiche all'interno.

Passeggiate

Da Oberpettnau a Mösern, ore 2 ca. – Da Leiblfing a Reith bei Seefeld, ore 2; proseguendo per Auland a Mösern, ore 1.15.

REITH BEI SEEFELD   G 4

Comune, distretto di Innsbruck-Land, abitanti: 1100, altezza s.l.m.: 1130 m, CAP: 6103. **Informazioni**: Ufficio Turistico/Infobüro Reith bei Seefeld. **Stazione ferroviaria**: Reith bei Seefeld. Collegamento ferroviaria con Innsbruck, Mittenwald, Garmisch-Partenkirchen e Monaco di Baviera. Collegamento autobus con Seefeld, Leutasch, Mösern/Buchen, Scharnitz, Mittenwald e Telfs. **Impianti di risalita**: Collegamento agli impianti di risalita delle aree sciistiche Rosshütte/Härmelkopf e Gschwandtkopf.

Reith si trova alta sulla Valle dell'Inn sulla vecchia strada che da Seefeld porta a Innsbruck, poco prima dello Zirler Berg. Il luogo presta il nome anche alla cima Reither Spitze, 2374 m, una montagna con bellissimo panorama. Grazie alla vicina località di Seefeld Reith veste oggi un particolare ruolo nel settore del turismo. L'altopiano di Seefeld offre una vasta scelta di passeggiate ed escursioni. Possibilità di discese nella Valle dell'Inn/Inntal.

Curiosità del luogo e dintorni

La **Chiesa parrocchiale** neoromanica **di S. Nicola**, gravemente danneggiata nel 1945. Al restauro collaborò anche Johannes Obleitner, pittore e scultore del luogo, a cui si devono i portali, le finestre di vetro, la Pietà sulla cantoria e le decorazioni della cappella mortuaria. – La **Cappella „Frau Häusl"** a Reith, presso il torrente Gurgelbach, presumibilmente realizzata dai fratelli Martin e Josef Seelos di Reith, a ringraziamento per non essere stati arruolati dall'esercito bavarese nel 1809. Nel 2009 gli „Schützen" di Reith hanno realizzato un nuovo „sentiero del Rosario" che porta alla cappella passando per 5 stazioni. – Ad Auland, **Cappella di Maria Ausiliatrice**, del XIX sec. – A Leithen, la **Cappella di S. Magnus**. – Le **colonne della peste** ad Auland e a Leithen, XVII sec. – A Leithen, la cosiddetta **Casa dei giganti (Riesenhaus)**, con affresco del 1537 rappresentante la lotta tra i giganti Haymon e Thyrsus, che la leggenda vuole si sia svolto in questi luoghi. – Nella Maximilianshütte si trova lo **stabilimento di ittiolo**, l'**Ichthyolwerk**, dove vengono prodotti diversi farmaci (v. **Seefeld**). – Presso il torrente Gurglbach, che attraversa il villaggio, sono stati rinvenuti **migli romani** senza scritta.

Passeggiate

A Leiblfing nella Inntal, magnifico motivo fotografico, ore 1.30. – A Dirschenbach nella Inntal, ore 1. – A Seefeld in Tirol, bei sentieri, 45 min. – Dall'impianto Kneipp a St. Florian a Reith ha inizio il sentiero didattico sulle api, o Reither Bienenlehrpfad. Passando per le 10 stazioni lungo il percorso si conoscerà più approfonditamente la comunità delle „produttrici di miele" e alla fine si giungerà al primo „Hotel delle api" in Austria. – A Hochzirl attraverso la gola Schlossbachklamm, ore 1.30. – Al Kaiserstand, 1440 m, ore 1.15 (facile). Seguendo la vecchia strada statale poco dopo aver attraversato il ponte sul Gurglbach si devia a sinistra, poi in leggera salita si giunge al sentiero che conduce al Kaiserstand. Si segue il sentiero verso est in salita fino al belvedere. Vista in basso sulla Inntal. – Sentiero panoramico (circolare), 45 min. – La Reitherjoch Alm, 1505 m, è una delle mete più frequentate da escursionisti e da chi va in mountain-bike (facile), 45 min. ca. D'inverno il sentiero funge da pista per slittini. Piste da fondo per Auland, 5 km, connesse ivi alle altre sull'altopiano che conducono a Wildmoos o a Leutasch.

Escursioni alpine

Sul Hochleithenkopf, 1276 m, passando per Mühlberg, 45 min. – Sullo Gschwandtkopf, 1495 m, ore 1 (facile) o con la seggiovia. – Sulla Reither Spitze, 2374 m, ore 4 ca. (fino al Rif. Nördlinger Hütte facile, per la vetta difficoltà media). Dal paese si segue il sentiero in direzione nord est tra i prati e si arriva nel bosco. Attraverso questo per i pendii che scendono dal Rauhenkopf si sale all'avvallamento tra il Rauhenkopf e Schoasgrat e si prosegue quindi al Rif. Schartlehnerhaus, 1856 m. Sul lato ovest della cresta si oltrepassa una sorgente ed infine si arriva lungo un largo schienale al Rif. Nördlinger Hütte, 2239 m. Si continua per la Reither Spitze in 20 minuti ca., noto belvedere: altopiano di Seefeld, Karwendel, Wettersteingebirge, Hohe Munde e a sud i ghiacciai delle Stubaier Alpen e delle Ötztaler Alpen. – Alla Malga Eppzirler Alm, 1459 m, attraverso l'Ursprungsattel, 2096 m, vedi sotto Seefeld. Escursione da Reith fino alla stazione ferroviaria di Gießenbach (per escursionisti resistenti), ore 8.30 complessive.

SCHARNITZ I 2

Comune, distretto di Innsbruck-Land, abitanti: 1470, altezza s.l.m.: 964 m, CAP: 6108. **Informazioni**: Ufficio Turistico/Infobüro Scharnitz. **Stazione ferroviaria**: Scharnitz. Collegamento ferroviario con Seefeld, Reith, Innsbruck, Mittenwald, Garmisch-Partenkirchen e Monaco di Baviera. Collegamento autobus con Seefeld, Reith, Leutasch, Mösern/Buchen, Telfs e Mittenwald.

L'odierna rinomata località turistica, distribuita lungo la statale, sorge vicino al confine tra la Baviera ed il Tirolo, alla foce del torrente Gießenbach nell'Isar. Scharnitz è il punto di partenza per numerose escursioni nelle valli del Karwendel e ciò le è valso l'appellativo di „Porta del Karwendel".

Storia

Nel V sec. a. C. un'importante strada attraversava questa zona, che crebbe ancora di rilievo al tempo dei Romani. Nei pressi di Klais (oltre l'odierno confine) si trovava il posto romano di Scarbia, toponimo tuttora riscontrabile nell'attuale nome della località. Fin dai tempi più remoti la sua storia è determinata dalla sua posizione geografica: immediatamente a nord di Scharnitz si trova il passaggio più stretto tra i massicci del Wetterstein e del Karwendel. Nel XIV sec. sorse l'insediamento sul ponte sull'Isar, che necessitò di numerose bonifiche. La consistente attività mineraria attirò molta gente. Durante la guerra dei trent'anni (1618-1648) il governo di Innsbruck riuscì ad ottenere del terreno dal vescovado di Freising, per poter erigere uno sbarramento della valle, che venne edificato tra il 1632 ed il 1634 dall'arciduchessa Claudia de' Medici e che porta il suo nome. Esso non venne distrutto durante la guerra dei trent'anni, ma fu conquistato dal nemico all'inizio del XVIII sec. Venne ricostruito ed ampliato sotto l'imperatrice Maria Teresa e dal 1766 segna definitivamente il confine di Stato.

Curiosità del luogo e dintorni

La **Chiesa di Maria Ausiliatrice (Mariahilf)**, 1896, arredo interno del 1955. – La **Cappella Birzel**, 1965. – La **Cappella S. Wendelin**, barocca, alla chiusa della valle Karwendeltal. – I **ruderi** di **Porta Claudia**. – Nella sede dell'Ufficio Turistico, presso il ponte sull'Isar, si trova il **Centro visite**: tabellone informativo sull'Alpenpark Karwendel, zona sotto tutela ambientale; interessante reperto, scheletro di un alce di 8000 anni fa, ritrovato nel 1951 da Toni Gaugg, gestore del rifugio Pleisenhütte, nella Vorderkahrhöhle, una grotta dei dintorni; vari tabelloni informativi sulla geologia e la storia dell'attività mineraria; interessanti minerali e reperti storici di interesse locale. – La gola **Geisterklamm**.

Passeggiate

Alla cappella Birzel, 1128 m, dal ponte sull'Isar, per Platt, 45 min. – A Gießenbach sul sentiero Stuckweg, lungo la ferrovia del Karwendel, ore 1. – A Gießenbach lungo l'omonimo torrente, ore 1. – A Gießenbach per il Rossboden, il Mühlberg e aggirando a nord il Marendköpfl, ore 2. – Alle rovine di Porta Claudia, per la Via Crucis/Kalvarienberg, 45 min. – Escursione circolare: da Scharnitz sulla strada dell'Hinterautal a quella del Karwendel, che si segue aggirando il Brantlegg a nord alla cappella Birzel, 1128 m, e ritornando per Platt, ore 3. – A Leutasch, prima lungo il torrente Gießenbach, poi all'incrocio a destra, prose-

Migli romani/Römische Meilensteine/Roman milestones

guendo sul sentiero n. 18. Passando la Sattelstiege si raggiunge la sella Hoher Sattel, 1495 m, e lungo la val Satteltal si esce alla meta, ore 3-3.30. – A Seefeld, prima per il sentiero Stuckweg fino a Gießenbach, indi sul sentiero Hirnweg alla meta, ore 3. – Al posto di ristoro Oberbrunnalm, 1523 m, sempre sul sentiero n. 30, comodamente alla meta, ore 4 ca.

Escursioni alpine

Große Ahrnspitze, 2196 m. Prima alle rovine di a Porta Claudia (25 minuti). Dopo ore 1.30 si attraversa il confine bavarese e si raggiunge nel Bayerisches Kar il Rif. Ahrnspitzhütte – locale d'emergenza, (fin qui ore 3.15, facile; zona protetta). Salita alla vetta della Große Ahrnspitze, ore 1 (solo per esperti). Bel panorama sulle catene montuose del Wetterstein e del Karwendel. – Alla Brunnensteinspitze, 2180 m, ore 5. Dal sentiero che inizia presso il ponte Isar e conduce al Karwendelhaus dopo pochi minuti devia a sinistra un comodo sentiero per la Adlerkanzel. Lì ha inizio un sentiero che sale ripidamente per condurre al Brunnensteinkopf, 1924 m. Si segue la cresta salendo attraverso rocce fino ad un brullo cono che scende ripidamente e che rappresenta l'ultima elevazione di cresta prima di arrivare alla vetta della Brunnensteinspitze. Lo si aggira verso destra e attraverso detriti e prati si sale nuovamente alla cresta per poi giungere senza difficoltà alla Brunnensteinspitze. – La traversata alla vicina Rotwandlspitze, 2191 m, e oltre fino al Rif. Tiroler Hütte, 2153 m, è fa-

cile e richiede circa 30 min. di cammino. – Alla Eppzirler Alm, 1459 m, attraverso la valle Gießenbachtal, ore 1.45 (facile). Da Scharnitz fino all'imbocco della Gießenbachtal, ore 1. La visita di questa bella valle racchiusa dal gruppo montuoso delle „Dolomiti di Seefeld" è già di per sé meritevole. Nelle vicinanze della stazione ferroviaria di Gießenbach si attraversano i binari e ci si trova in mezzo alla stretta gola valliva del torrente Gießenbach. Per ben sette volte lo si attraversa sul buon sentiero giungendo ad una biforcazione valliva oltrepassando vari massi erratici. A sinistra devia un sentiero per il posto di ristoro Oberbrunnalm. Salendo a destra si arriva alla Malga Eppzirler Alm, oltre una sorgente. – Attraverso la forcella Eppzirler Scharte, 2103 m, al Rif. Solsteinhaus, 1806 m, sull'Erlsattel, dalla Malga Eppzirler Alm, ore 2.30 (media difficoltà). Da qui si prosegue ai piedi dell'enorme pendio detritico a nord dalla forcella Eppzirler Scharte. Si sale poi faticosamente alla forcella. Ad est l'Erlspitze e ad ovest i promontori della Kuhlochspitze. Scendendo a sud si giunge ad un sentierino che attraversa la fascia detritica verso est e gli alpeggi ed in 30 min. si arriva al Rif. Solsteinhaus. Proseguendo, si scende alla stazione ferroviaria di Hochzirl, ore 2.

SEEFELD IN TIROL   FG 3

Comune, distretto di Innsbruck-Land, abitanti: 3.150, altezza s.l.m.: 1180 m, CAP: 6100. **Informazioni**: Associazione Turistica/Infobüro Seefeld in Tirol. **Stazione ferroviaria**: Seefeld in Tirol (collegamento ferroviario con Reith, Scharnitz, Innsbruck, Mittenwald, Garmisch-Partenkirchen e Monaco di Baviera). Collegamento autobus con Leutasch, Mösern/Buchen, Reith, Scharnitz, Mittenwald e Telfs. **Impianti di risalita**: Funicolare terrestre Rosshütte; funivia Seefelder Joch; funivia Härmelekopf; numerose seggiovie e sciovie anche nell'area sciistica Gschwandtkopf.

La posizione di Seefeld in Tirol è così unica che nessun altro luogo nei dintorni può concorrere con essa. L'altitudine dell'altopiano di Seefeld (1200 m) e la sua grande estensione danno al visitatore la sicurezza di meravigliosi soggiorni e di riposo. Attorniato da uno scenario di alta montagna in grado di soddisfare ogni alpinista, Seefeld offre inoltre tutto ciò che un ospite può desiderare. Per ben due volte, nel 1964 e nel 1976, Seefeld ha ospitato con successo i giochi olimpici e nel 1985 il Campionato mondiale di Sci Nordico. Dal 2002 Seefeld ospita ogni anno la Duplice Coppa del Mondo di Combinata nordica. Le attrezzature sportive così sorte sono oggi un ulteriore apporto per il turismo. A questo si aggiunge una considerevole quantità di alberghi, centri turistici, impianti di risalita ed una fitta ed estesa rete di sentieri curati (150 km), che offrono escursioni di tutte le lunghezze nonché una rete perfettamente contrassegnata di itinerari per Nordic Walking e podismo (266 km), la „Running und Nordic Walking Arena" che invita a migliorare le proprie condizioni fisiche godendosi la natura. Ovunque locali accoglienti e per ogni temperamento si trova il giusto intrattenimento. Su una superficie di quasi 70 km² il fitto bosco ad alto fusto si alterna con il rado bosco di larici e con estesi prati; le vicine montagne invitano ad ariose escursioni ed i magnifici prati alpestri sono il miglior rimedio per dimenticare i pensieri e lo stress di tutti i giorni. E quando l'inverno ha steso il suo manto bianco su tutto il territorio l'appassionato degli sport invernali ha la possibilità di praticare lo sci da fondo o di provare l'ebrezza delle discese dello sci alpinismo. Entrambe le possibilità – le escursioni estive e lo sci invernale – hanno fatto di Seefeld una località di soggiorno e di sport di primo rango. Per l'ospite desideroso di quiete e per migliorare l'ambiente è stata creata una zona pedonale che consente di fare riposanti passeggiate attraverso il centro della località olimpica. Un'ottantina di negozi di ogni genere, numerosi ristoranti e caffé con terrazza all'aperto soddisfano quasi ogni desiderio.

Il numero di pernottamenti ha già superato di gran lunga il milione; i turisti sono soprattutto tedeschi, svizzeri ed italiani, ma anche olandesi, inglesi, americani, belgi e francesi danno all'ambiente una chiara impronta internazionale. Vere attrazioni della località sono il campo di golf a 18 buche, la Golfacademy ed il Casinò.

Seefeld è accessibile da tre punti: da nord, dalla Germania, arriva l'ottima strada statale n. 177 da Mittenwald, risp. Scharnitz. Sullo stesso percorso anche la ferrovia del Karwendel trasporta gli ospiti da Garmisch-Partenkirchen, Scharnitz, Seefeld a Innsbruck. Da sud, proveniente dalla valle dell'Inn, per la statale n. 177 sullo Zirler Berg (16% di pendenza!). La ferrovia del Karwendel proveniente da Innsbruck attraversa numerose gallerie ed un magnifico paesaggio. Chi proviene da ovest devia già a Telfs (Inntal) per una buona strada attraverso Mösern e arriva a Seefeld. L'aeroporto più vicino è quello di Innsbruck (21 km).

Storia

La storia della pittoresca località di Seefeld è molto antica. Passa vicino a Seefeld l'antica Via Claudia Augusta che proveniva dall'Italia e attraverso la Rezia giungeva ad Augusta, l'odierna Augsburg. Il toponimo deriva dai due laghi, dei quali quello più ad est è il cosiddetto Wildsee, esiste tutt'oggi, mentre quello più grande, situato più ad ovest, sorto a suo tempo artificialmente per volere dell'arciduca Sigismondo si è prosciugato. La chiesetta del lago (Seekirchl) un tempo era situata su un isolotto in mezzo a quest'ultimo lago. Non sempre Seefeld conobbe tempi tranquilli. Gli anni di guerra del XVIII e XIX sec. lasciarono le loro tracce. Negli anni 1703, 1805 e 1809 Seefeld ospitò truppe francesi e bavaresi. L'anno più nero per Seefeld fu il 1809 allorché alcuni componenti della retroguardia delle truppe del generale Beaumont appiccarono il fuoco nella località, distruggendo metà del nucleo (14 case). Nel 1516 si iniziò a costruire vicino alla chiesa un convento destinato alle suore agostiniane della valle Halltal. Poiché il trasferimento non ebbe mai luogo la costruzione, le cui mura principali arrivarono già fin sotto il tetto, rimase incompiuta fino al XVI sec. Soltanto sotto l'arciduca Massimiliano, quando arrivarono a Seefeld gli eremiti agostiniani per prendere possesso della parrocchia e del convento, si continuò la costruzione nel 1604. I monaci comunque non poterono rallegrarsi a lungo dei loro possedimenti, perché già nel 1785, sotto la reggenza dell'imperatore Giuseppe II, il convento fu sciolto. Nell'anno 1805 i possedimenti conventuali di Seefeld assieme al convento stesso ed alla birreria annessa – l'odierno Hotel Klosterbräu – furono venduti per 20.300 gulden al maestro della posta Anton Hörting ed al macellaio Nikolaus Sailer di Seefeld.

Curiosità del luogo e dintorni

La **Chiesa parrocchiale di Sant'Osvaldo**, costruita nel 1423-1474, allungata nel 1604, chiesa gradinata tardogotica sotto

Sosta al laghetto Kaltwassersee
Rast beim Kaltwassersee
Time out at Kaltwassersee (lake)

un unico tetto; portale principale riccamente articolato con magnifico stemma scolpito nel legno, all'interno volta a costoloni romboidali con belle chiavi di volta, affreschi nell'arco di trionfo e nel coro, XV sec., all'esterno sul campanile S. Cristoforo e due monaci, 1617. Arredo: altar maggiore neogotico in parte con antiche statue scolpite gotiche del XV e XVI sec.; nel coro, dipinto di Jörg Kölderer (miracolo d'altare di Seefeld) del 1502; sulla destra, altare laterale tardogotico con bel crocifisso tardogotico in alto; sulla parete, rilievo con il „miracolo di Pentecoste" dell'inizio del XVI sec.; fonte battesimale gotico, pulpito gotico del 1525. Heilig-Blut-Kapelle (Cappella del Sacro Sangue), raggiungibile dalla navata laterale della parrocchiale attraverso una scala in marmo, costruita nel 1574 dall'architetto di corte dell'arciduca Ferdinando II, Alberto Lucchese, stuccature barocchizzate e dipinte del 1724, dipinti sul soffitto di J. Puellacher, 1772; dello stesso artista anche i dipinti sulle pareti nei corridoi dell'adiacente ex convento degli agostiniani, fondato nel 1516, oggi albergo. – La **Seekirchl** (chiesetta del lago), voluta nel 1628 dall'arciduca Leopoldo V per accogliervi il crocifisso miracoloso; affreschi nella cupola di Hans Schor, affreschi sui pilastri del coro e dipinti degli altari laterali di J. Puellacher.

Passeggiate

Attorno al lago Wildsee („Kaiser-Maximilian-Weg", itinerario tematico con informazioni sullo sviluppo di questo straordinario paesaggio e sul laghetto), 40 min.; dalla riva meridionale del lago più oltre fino ad Auland, 20 min. – Al Pfarrhügel (Via Crucis di Seefeld/Seefelder Kreuzweg), ca. 20 min., punto di partenza la Parrocchiale di Seefeld: sul colle Pfarrhügel l'escursionista potrà vedere un cerchio di pietre e godersi il panorama su Seefeld, sul Wildsee e le vette circostanti. – Sullo Gschwandtkopf, 1495 m, sia a destra che a sinistra degli impianti di risalita buoni sentieri conducono al rifugio e poi in vetta, ore 1.15. – Dallo Gschwandtkopf si scende a Mösern sul sentiero n. 85, ore 1, oppure ad Auland, ore 1. – A Mösern seguendo il sentiero n. 2 attraverso i prati Möserer Mähder, più oltre fino al lago Möserer See, ore 1. – A Mösern sui sentieri n. 2 e 60, a sud della Möserer Höhe, ore 1.30. – Alla malga Wildmoosalm, 1314 m, seguendo il sentiero Hörmannweg, ore 1 (inizio ripido). – Dalla Wildmoosalm lungo il sentiero Steckenweg fino a Weidach, presso Leutasch, ore 2; nella Fludertal si deve deviare in tempo verso sinistra poi si percorre il bel sentiero attraverso il bosco Schlagwald. – Dalla Wildmoosalm attraverso il sentiero Blattsteig a Mösern, ore 1. – Al posto di ristoro Triendlsäge, 1125 m, 30 min. ca. – Al Bodenalm, 1048 m, lungo il Seebach, 45 min. – Sul Schlossberg, seguendo il sentiero romano che passa accanto all'ex „PlayCastle", 30 min. – A Gießenbach (ferrovia del Karwendel) percorrendo il sentiero Hirnweg che passa accanto all'ex „PlayCastle", ore 2.30. – A Weidach/Leutasch, per Neuleutasch, ore 1.30. – A Reith bei Seefeld, attraverso Auland, ore 1. – Al Rif. Rosshütte, 1751 m, con la funicolare e discesa attraverso la Hermannstal, ore 1.15. – All'albergo Neuleutasch, 1217 m, e oltre alla Wildmoosalm, 1314 m, attraverso la Kellental, ore 1.30. – Alla Reitherjoch Alm, 1505 m, salita diretta attraverso Knappenboden, ore 1.15; più comodo ma più lungo è il percorso attraverso la Hermannstal che con un largo tornante attraversa il bosco Krinzwald, ore 1.45. – Alla malga Eppzirler Alm, 1459 m, per la sella Schlagsattel, 1480 m, ore 3 (facile). Il sentiero Schlagsteig inizia allo Schlossberg, a nord di Seefeld, attraversa la gola Oberlehnklamm ed il bosco Strafwald e porta allo Schlagsattel. Da qui prosegue nel bosco Schönwald scendendo nella valle Eppzirler Tal, risalendola fino all'omonima malga.

Escursioni alpine

Alla stazione a monte della funivia Härmelekopf, 2034 m, passando per la malga Reitherjoch Alm, 1505 m, e l'Hochanger, ore 2 (facile). – Alla Reither Spitze, 2374 m. Si segue la vecchia statale e presso il chilometro 8,2 si devia a sinistra sul sentiero segnato fino al Rif. Maximilianshütte (fabbrica di ittiolo: il Seefelder Gruppe è ricco di scisti bituminosi – molti fossili, estrazione di ittiolo). Prima della fabbrica, al cartello indicatore, si devia a sinistra salendo sul sentiero segnato che porta alla malga Reitherjoch Alm, 1505 m. Da lì, prima a sud e poi ad est, oltrepassando una sorgente e risalendo il ripido canalone, infine a zig-zag fino al Rif. Nördlinger Hütte, 2239 m, già visibile da lontano, ore 3.30 (facile). Al margine del bosco ultimo rifornimento d'acqua! La vetta della Reither Spitze dista ancora 20 minuti ca.

(media difficoltà). Famoso belvedere che domina l'altopiano di Seefeld. Vista: a nord il Wettersteingebirge con la Zugspitze, ad est il Karwendel, a sud i promontori di Kühtai, Kalkkögel con l'Axamer Lizum, l'intera regione dei ghiacciai della Stubaital e della Ötztal. – Dal Rif. Nördlinger Hütte attraverso l'Ursprungsattel, 2096 m, nella Eppzirler Tal ed alla stazione ferroviaria di Gießenbach, ore 4.30 (difficoltà media). Dal rifugio sul lato est discesa per circa 60-80 m. Il pendio est viene attraversato da uno stretto sentiero; si passa sotto le Ursprungtürme e in 20 min. si arriva alla larga sella Ursprungsattel. Si scende poi in direzione nord attraverso la piccola valle Wimmertal e si raggiunge la Eppzirler Tal a circa 15 min. sotto la malga. Si può anche scendere direttamente alla Eppzirler Alm, 1459 m, passando sotto il giogo e tenendosi a est attraverso la cresta del Sunntigköpfl, 1765 m. Da lì fino a Gießenbach in discesa attraverso la Eppzirlertal e Gießenbachtal fino alla stazione ferroviaria di Gießenbach, ore 2. – Dal Rif. Nördlinger Hütte si prosegue verso est alla sella Ursprungsattel, 2096 m; da lì, a destra, tra gole e rupi (vicino alla cresta), fin sotto l'Erlspitze, indi giù al Rif. Solsteinhaus, 1806 m, ore 6-8 (solo per esperti). – Traversata dalla Reither Spitze attraverso la Seefelderspitze, 2221 m, al Seefelder Joch, 2060 m. Il passaggio diretto sulla cresta è difficile in seguito ad un alto dirupo. Quindi si scende dalla Reither Spitze attraverso la cresta nord ovest al passo Reither Scharte, 2197 m. Attraverso rupi e terreno prativo si scende al Reither Kar che si trova tra il Reither Scharte e la Seefelder Spitze; dal circo glaciale Reither Kar si sale attraverso il verde pendio ovest alla Seefelder Spitze, ore 1 (difficoltà media). Discesa al Seefelder Joch (giogo di Seefeld), 45 min. Da quest'ultimo cabinovia e funicolare terrestre per Seefeld, o anche a piedi, ore 2.15 (facile).

TELFS CD 4

Marca, distretto di Innsbruck-Land, abitanti: 13000, altezza s.l.m.: 634 m, CAP: 6410. **Informazioni:** Associazione Turistica/Tourismusverband Telfs. **Stazioni ferroviarie:** Telfs-Pfaffenhofen; per Mösern: Seefeld (4 km). Collegamento autobus con Innsbruck, Imst e Seefeld.

Presso un importante nodo stradale nella valle superiore dell'Inn (Oberinntal) si adagia la marca di Telfs. Qui devia anche una strada che attraverso il Mieminger Plateau ed il Holzleitensattel conduce al Passo Fernpass e oltre fino a Außerfern. Il centro del paese è molto pittoresco. Molte case sono abbellite con pitture fruttando alla località il nome di „Freskendorf" (= paese degli affreschi). Fanno parte della marca anche numerosi insediamenti, quali Mösern (vedi ivi!), Buchen e Bairbach. Telfs è ben attrezzata per il turismo ed offre una buona rete di sentieri. La marca è un importante centro economico e culturale dell'Oberland tirolese. Ogni 5 anni vi si svolge la famosa "Schleicherlaufen", antica tradizione carnevalesca, la prossima volta nel febbraio 2015.

Curiosità del luogo e dintorni

Nel **centro** belle case con sporti gotici e pitture sulle facciate. – **Parrocchiale dei SS. Pietro e Paolo**, neoromanica, costruita nel 1863. – **Chiesa dei Francescani**, edificata nel 1705, con immagine d'altare di Lukas Platzer, 1710.– In località Schlichtling la **Chiesa del S. Spirito/Heilig-Geist-Kirche**, l'arch. Peter Thurner la progettò in forma elittica e così fu realizzata. Il soffitto dell'interno simboleggia la carena riversa di una barca. L'area che circonda l'altare spicca per la sua semplicità e presenta un ciclo di quadri di Maurizio Bonato sulla tematica dello Spirito Santo. La chiesa fu inaugurata il 26 ottobre 2002. – **Cappella Maria Ausiliatrice/Maria-Hilf-Kapelle** sul Birkenberg, costruzione centrale della fine del XVII sec., affreschi nella cupola e altare originale, l'ultimo è opera di Andreas Thamasch, scultore dell'Abbazia di Stams, pulpito rococò della metà del XVIII sec., immagini dell'alzata dell'altare laterale sinistro di Josef Schöpf. – Degna di menzione è la **Cappella St. Veit**

Alpine Notrufnummern • Telefono soccorso alpino Alpine Emergency Telephone Numbers	
Europaweit/Per tutta l'Europa/Europe-wide	112
Bayern/Baviera/Bavaria	19222
Österreich/Austria/Austria	140

presso Lehen. La graziosa costruzione, consacrata già nel 1384 e ristrutturata nel XVII sec., denota ancora l'influsso del gotico. I dipinti di S. Kümmernus sono del pittore locale Leopold Puellacher, del 1820 circa. – **Chiesetta di S. Moritzen**, del XVII sec., presso il **Calvario**. – Nel **Museo locale** interessanti maschere e presepi natalizi e quaresimali. – Nel **Museo tessile della ditta Franz Pischl** sono esposti antichi macchinari utilizzati per tessere il famoso „loden". – A Buchen, alla **Ropferstub'm**, si trova il **Museo folcloristico**, che raccoglie vari attrezzi dei contadini di montagna. Offre inoltre un museo all'aperto.

Passeggiate
Punto di partenza in centro. Al santuario St. Moritzen, 30 min. – Alla cappella St. Veit per Lehen, 45 min.; ritorno attraverso Hinterberg, 30 min. – Alla cappella di pellegrinaggio sul Birkenberg, ore 1; da lì alla Arzbergklamm, 30 min. – Nella Kochental attraverso Birkenberg e ritorno a Telfs lungo il torrente Finsterbach attraverso Sagl, ore 2.30. – A Bairbach per Birkenberg e Brand, ore 1.30. – Da Telfs al Rif. Rauthhütte, 1605 m, per Birkenberg e la Kochental; da qui al Katzenloch, indi a sinistra, salendo comodamente al Rif. Rauthhütte, ore 4.30.

Escursioni alpine
Sulla Hohe Munde: vedi sotto Leutasch.

ARGE-ALP Campana della Pace/Friedensglocke/Peace Bell

Telefonnummern der wichtigsten
Alpengasthöfe und Unterkunftshütten
Telephone Numbers of Major Alpine Inns and Huts
Numeri di telefono degli alberghi alpini e dei rifugi più importanti

Karwendelgebirge
Ahrnspitzhütte 0049(0)89/1573566
Brunnensteinhütte 0049(0)8823/326951 und 0049(0)8823/94385 *
Eppzirler Alm 0043(0)664/4629211
Mittenwalder Hütte 0049(0)172/8558877
Nördlinger Hütte 0043(0)664/1633861 und 0043(0)512/933842
Ötzi Hütte 0043(0)5212/2258
Rosshütte 0043(0)5212/2416
Solsteinhaus 0043(0)5232/81557 und 0043(0)664/3336531

Mieminger Kette
Neue Alplhütte 0043(0)676/7209100
Rauthhütte 0043(0)664/2815611

Wettersteingebirge
Alpenglühen-Wirtshaus 0043(0)5673/2349
Gaistalalm 0043(0)5214/5190
Hämmermoosalm 0043(0)676/3337000
Knorrhütte 0049(0)8821/2905
Meilerhütte 0049(0)171/5227897 und 0049(0)8821/2701
Münchner Haus 0049(0)8821/2901
Oberreintalhütte 0049(0)8821/2701
Reintalangerhütte 0049(0)8821/2903
Schachenhaus 0049(0)8821/2996 und 0049(0)172/8768868
Wangalm 0043(0)664/73863164
Wettersteinhütte 0043(0)664/4153747
Wiener-Neustädter-Hütte 0043(0)676/4770925

Telefon- und Faxnummern der Tourismusverbände
Telephone and Telefax Numbers of Tourist Offices
Numeri di telefono e di telefax delle Associazioni turistiche

Olympiaregion Seefeld, Klosterstraße 43, 6100 Seefeld, Tel.: +43 (0)508800, Fax: +43 (0)50880-51, info@seefeld.com • www.seefeld.com
Ferienregion tirolmitte, Untermarktstraße 1, 6410 Telfs, Tel.: +43 (0)5262/62245, Fax: +43 (0)5262/62245-4, info@tirolmitte.at • www.tirolmitte.at
Tourismusverband München-Oberbayern, Radolfzeller Str. 15, 81243 München, Tel.: +43 (0)89/829218-0 , Fax: +43 (0)89/829218-28, touristinfo@oberbayern.de • www.oberbayern.de

Lieber Wanderfreund,

KOMPASS ist ständig bemüht, die Qualität seiner Verlagsprodukte zu steigern. Vor allem Ihre **Korrekturhinweise und Verbesserungsvorschläge sind uns stets willkommen**. Sie helfen damit, die nächste Auflage noch aktueller zu gestalten. Bitte schreiben Sie an:
KOMPASS-Karten GmbH, Kaplanstraße 2, A-6063 Rum/Innsbruck,
Fax 0043 (0) 512/26 55 61-8
kompass@kompass.at • www.kompass.at

Information in a hiking guide changes almost constantly in these fast-paced times, and the editors thus accept no liability for the guide despite having made every effort to ensure its reliability. As experience continuously shows, errors are never entirely avoidable. The editors are grateful for any corrections and suggestions you care to make. Please send these to the above address.

Poiché le indicazioni contenute in una guida escursionistica sono sottoposte a rapidi cambiamenti non ci assumiamo responsabilità alcuna per la veridicità delle indicazioni fornite. L'esperienza ci insegna che non possiamo escludere errori a priori. La Redazione ringrazia anticipatamente per ogni correzione o miglioramento che le perverrà all'indirizzo riportato in alto.

Anzeigenverkauf und -gestaltung/Advertising sales and design/Vendita ed impostazione inserti pubblicitari:
KV KOMMUNALVERLAG GmbH & Co. KG, Alte Landstraße 23, 85521 Ottobrunn,
Deutschland/Germany /Germania • Tel. 089/92 80 96-21, Fax 089/92 80 96-38

© 2010 KOMPASS-Karten GmbH · A-6063 Rum/Innsbruck (10.02)

Bildnachweis/Materiale fotografico/Photo credits:
Titelbild Karte/Foto di copertina sulla cartina/Cover photo for map: Seefeld (Olympiaregion
Seefeld) • Titelbild Textheft/Foto di copertina sul libretto/Cover photo for text: Seefeld –
Wildsee (Bildagentur Dr. Gerd Wagner/Marco)

Búdel Fabio S. 41; Ferienregion tirolmitte/Laichner S. 22, 40, 60, Leiner Otto S. 45; Ober-
arzbacher Robert S. 27; Olympiaregion Seefeld S. 1 (kleine Titelbilder), 13, 20, 23, 25, 30,
33, 34, 35, 37, 38, 39, 43, 46, 49, 50, 53, 55, 56, 57; Pohler Alfred S. 4, 25; Salzburger
Land Tourismus GmbH, Hallwang bei Salzburg S. 6; Linder Birgit S. 19.

Verlagsnummer/Publisher's No./Numero di edizione: 026
ISBN 978-3-85491-028-2